INTERNET
POUR
LES NULS
7e EDITION

INTERNET
POUR
LES NULS
7e EDITION

**John R. Levine, Carol Baroudi
& Margaret Levine Young**

Internet pour les Nuls

Publié par
IDG Books Worldwide, Inc.
Une société de International Data Group
919E. Hillsdale Blvd., Suite 400
Forster City, CA 94404

Copyright © 2000 par IDG Books Worldwide, Inc.

Pour les Nuls est une marque déposée de International Data Group
For Dummies est une marque déposée de International Data Group
Collection dirigée par Jean-Pierre Cano
Edition : Pierre Chauvot
Maquette et mise en page : Edouard Chauvot
Traduction : Véronique Lévy
Adaptation : Michel Dreyfus

Edition française publiée en accord avec IDG Books Worldwide, Inc.
© 2001 par Éditions First Interactive
33, avenue de la République
75011 Paris - France
Tél. 01 40 21 46 46
Fax 01 40 21 46 20
Minitel : 3615 AC3* F1RST
E-mail : firstinfo@efirst.com
Web : www.efirst.com
ISBN : 2-84427-936-8
Dépôt légal : 3ème trimestre 2001

Sommaire

. . . .

Cinquième partie : Les dix commandements *201*

Introduction

Dans ce livre, nous allons essayer de vous expliquer ce que vous devez faire pour devenir un de ces *internautes* parfaitement à leur aise en *surfant* sur la vague de l'Internet. Comment démarrer, acquérir de l'expérience, et ensuite, depuis la crête des vagues, voler de vos propres ailes. Tout cela en bon et simple français.

De nos jours, presque tout le monde se connecte à l'Internet depuis son domicile. Ou tout au moins, peut le faire. Aussi allons-nous centrer le thème de ce livre sur les parties du Net les plus intéressantes pour l'utilisateur moyen : celui qui n'est pas un technicien de la "chose". Il y sera donc surtout question du Web et des outils de navigation qui en permettent l'exploration, autrement dit des *navigateurs* (traduction française habituelle du mot anglais *browsers*). À ce titre, nous vous présenterons Netscape Navigator et Internet Explorer (de Microsoft). Nous verrons également comment envoyer et recevoir du courrier électronique *(e-mail)* pour les échanges de correspondance personnels, comment "tchatcher" en ligne et comment télécharger les trésors de toute nature que recèle le Net.

Ce que vous allez trouver dans ce livre

Voici quelques-uns des sujets que nous allons aborder :

- Comprendre ce qu'est l'Internet.
- Comment vous connecter à l'Internet.

✔ Comment surfer à l'aise sur le Web.

✔ Comment trouver des personnes, des endroits et toutes sortes de choses.

✔ Comment communiquer à l'aide du courrier électronique *(e-mail)*.

✔ Comment vous approprier les bonnes choses qu'on trouve sur le Net.

✔ Où trouver services et programmes.

Comment utiliser ce livre

Pour commencer, nous vous suggérons de lire d'affilée les deux premiers chapitres. Vous aurez ainsi un aperçu d'ensemble de ce qu'est l'Internet, et vous apprendrez le vocabulaire de base sans lequel tout ce qui suit resterait pour vous lettre morte.

Lorsque vous vous sentirez prêt à aborder concrètement le Net (à vous y connecter), rendez-vous à la deuxième partie, et choisissez parmi les options proposées celle qui vous convient le mieux pour réaliser cette connexion.

Les troisième, quatrième et cinquième parties sont là pour vous aider dans votre utilisation pratique des ressources du Net.

Bien que nous ayons fait de notre mieux pour ne pas utiliser trop de vocabulaire technique, et en particulier pour définir chaque nouveau terme qui n'appartient pas au langage courant, il a pu nous arriver d'oublier quelques éléments. C'est la raison d'être du glossaire que vous trouverez à la fin du livre.

Tapez ce que nous vous indiquons tel que c'est écrit. Respectez MAJUSCULES et minuscules (capitales et bas de casse). Ce n'est pas toujours indispensable, mais vous risquez de tomber sur des systèmes capricieux qui se vexeraient si vous faisiez preuve de laxisme à cet endroit. Et surtout, n'oubliez pas que toute commande doit être validée par un appui sur la touche Entrée !

Quand vous devrez suivre les étapes d'une procédure compliquée, nous la détaillerons pas à pas pour mieux mettre en lumière ses phases importantes. Nous vous indiquerons alors ce qui se passera en réponse à ce que vous taperez et quelles sont les options possibles.

Lorsque vous devrez exécuter des commandes à partir de menus, nous utiliserons des barres obliques ou slashes (/), pour vous indiquer les subdivisions de ces menus. Par exemple Fichier/ Ouvrir, signifie qu'il faut cliquer sur la commande Ouvrir du menu Fichier.

Qui êtes-vous ?

En écrivant ce livre, nous avons supposé que :

- ✔ Vous avez accès ou vous voulez avoir accès à l'Internet.

- ✔ Vous voulez vous en servir dans un but pratique (pas nécessairement pour le *travail* ; pourquoi pas pour *jouer* ?).

- ✔ Vous ne cherchez pas à devenir le Grand Expert mondial de l'Internet. Tout au moins pour le moment.

Comment est organisé ce livre

Windows 32 bits

Plutôt que d'énumérer chaque fois la liste des avatars de Windows : 95, 98, 2000, Millenium, NT..., nous utiliserons l'expression générale Windows 32 bits.

Cet ouvrage contient cinq parties, chacune d'elles plus ou moins autonome (vous pouvez aborder le livre par n'importe laquelle), mais au moins faut-il que vous vous plongiez dans les deux premières si vous êtes réellement innocent pour tout ce qui concerne l'Internet.

Voici comment se présentent ces cinq parties :

Dans la première partie, "Bienvenue dans le cybermonde !", vous allez apprendre ce qu'est l'Internet et pourquoi il est si intéressant. Vous allez découvrir le vocabulaire de base et les concepts qu'il est nécessaire de connaître pour aborder sereinement la suite.

La deuxième partie, "Embarquez sur le Net", va vous expliquer plus en détail comment fonctionnent les plus importantes et les plus utilisées des ressources de l'Internet.

Dans la troisième partie, "Webmania", nous allons effectuer une plongée dans le World Wide Web (la toile d'araignée mondiale, familièrement désignée par le raccourci "Web"). C'est la composante de l'Internet qui a le plus contribué à le populariser. Nous verrons, entre autres, comment y trouver les informations que l'on cherche et comment faire des achats en ligne.

La quatrième partie, "L'essentiel de l'Internet", aborde quelques autres des services offerts par l'Internet : le courrier électronique *(e-mail)*, les systèmes de messages instantanés, les salons de discussion *(chat)* et bien d'autres choses encore.

La cinquième partie, "Les dix commandements", propose un résumé des références essentielles. Ce qui ne veut pas dire que le reste du livre soit absolument dépourvu d'intérêt !

Suivez le guide !

Ici, vous allez découvrir une astuce, un raccourci ou toute autre information qui vous facilitera la vie et vous fera gagner du temps.

Attention, danger ! Faites en sorte que ça ne vous arrive pas !

Cette icône pointe sur une ressource du World Wide Web que vous pouvez atteindre avec Netscape Navigator, Internet Explorer ou tout autre navigateur.

Première partie

Bienvenue
dans le cybermonde !

"C'est arrivé à peu près au moment où nous
nous sommes abonnés à un service en ligne."

Dans cette partie...

À chaque instant il se passe quelque chose sur l'Internet. Mais comme c'est rempli d'ordinateurs, rien n'y est jamais aussi simple qu'on le souhaiterait. Nous allons commencer par voir ce qu'est l'Internet et comment il est devenu ce qu'il est. Nous vous expliquerons ce qui s'y passe, ce que les gens y font et en quoi cela peut vous intéresser. Nous parlerons également de l'utilisation de l'Internet au sein de la famille avec un regard tout particulier sur le meilleur usage que les enfants peuvent en faire.

Chapitre 1
Le Net, qu'est-ce que c'est ?

. . . .

Dans ce chapitre :

▶ Inter-Net (ou interconnexion de réseaux).

▶ Posez par terre, on va l'trier !

▶ Quelques histoires vraies.

▶ Qu'est-ce qui fait la différence ?

▶ Le commerce électronique.

▶ Quelques idées sur la sécurité et l'intimité.

. . . .

Dans ce chapitre, nous allons commencer par vous apprendre ce que sont l'Internet et le Web, et comment ils ont évolué durant ces dernières années. Beaucoup de ce que vous allez découvrir est entièrement nouveau. Prenez le temps de lire, de relire et de comprendre. C'est un monde qui a ses us et coutumes, son langage, et il faut un peu de temps pour s'y sentir à l'aise.

L'Internet n'est pas un *package logiciel* et ne se prête pas facilement à une explication sous forme d'instructions et de commandes à exécuter dans un ordre prescrit, comme c'est le cas pour un programme particulier. Le Net ressemble davantage à un organisme vivant et en pleine mutation qu'à un quelconque Word ou Excel qui, sagement installés dans un coin de votre machine, s'occupent de leur travail et de rien d'autre. Avec un peu d'habitude, le Net va devenir pour vous une seconde nature, mais les premiers pas dans ce nouveau monde risquent de vous paraître intimidants et déroutants.

Inter-Net (ou interconnexion de réseaux)

On abrège souvent l'Internet en *Net*, mot anglais qui signifie *réseau*. L'Internet, c'est plutôt un concept qu'une réalité matérielle. Pour simplifier, disons que c'est un réseau de réseaux (une interconnexion de réseaux, le plus grand réseau mondial d'ordinateurs).

De son côté, un *réseau* d'ordinateurs, c'est un ensemble constitué d'un nombre variable d'ordinateurs connectés les uns aux autres par quelque moyen que ce soit, un peu comme un réseau d'émetteurs de télévision ou de radio. Radio Classique, par exemple, a des émetteurs locaux un peu partout en France, dont les fréquences se répartissent sur la bande FM – Paris, c'est 101.1 – et qui diffusent toutes le même programme. France 3 a des réémetteurs régionaux qui, à l'exception de décrochages ponctuels, diffusent, eux aussi, les mêmes films et les mêmes séries.

Mais n'allez surtout pas prendre cette analogie au pied de la lettre. Alors que les réseaux radio ou TV diffusent les mêmes informations, dans un réseau informatique, chaque machine conserve son individualité. A la différence des réseaux de réémetteurs, les réseaux d'ordinateurs fonctionnent *en duplex* : Après que la machine A a envoyé un message à la machine B, celle-ci peut renvoyer une réponse à A. Et à A seulement. (Mais, comme nous le verrons, on peut aussi s'adresser à la collectivité.)

Certains réseaux d'ordinateurs sont constitués d'un ordinateur central et de satellites qui communiquent avec lui. C'est le cas, par exemple, d'un système de réservation aérienne où les satellites sont répartis dans les aéroports et les agences de voyage. D'autres, comme l'Internet lui-même, sont plus égalitaires et permettent à n'importe quel ordinateur du réseau de prendre l'initiative de communiquer avec quiconque sur le réseau.

En fait, l'Internet est plus qu'un réseau : c'est un réseau de réseaux, tous sur un pied d'égalité. Ces réseaux vont des réseaux nationaux comme RENATER, en France, JANET en Angleterre et AT&T aux Etats-Unis jusqu'à celui que l'oncle Alfred s'est construit dans son garage en reliant entre eux deux vieux PC qu'il avait achetés aux Puces, en passant par le réseau local de votre entreprise qui interconnecte une dizaine (une centaine, un millier ?) de machines situées dans le même immeuble. Les universités ont été depuis longtemps connectées à l'Internet, et maintenant c'est le cas de la plupart des écoles, collèges et lycées. Depuis un ou deux ans, le taux de croissance des connexions à l'Internet est devenu comparable à ce qu'a été celui des téléviseurs aux Etats-Unis dans les années 50 (et en France, dans les années 70). On estime aujourd'hui à 100 millions le nombre d'ordinateurs sur le

Net, avec probablement 300 millions d'utilisateurs ; ce nombre évoluant à un taux oscillant entre 40 et 50 pour-cent par an.

L'Internet ou Internet ? (N.d.T.)

Certains auteurs utilisent le terme Internet avec article, d'autres sans. Qui a raison ? Grammaticalement, le mot Internet fait référence à un objet, non à une personne. Aucune raison donc de le priver de l'article défini. Christian Huitema, chercheur à l'INRIA, ancien président de l'*Internet Architecture Board*, a publié, en français, un livre dont le titre est *Et Dieu créa l'Internet*. Il y a quelques années, le Centre national de la recherche scientifique (le CNRS), établissement public en charge de la recherche officielle en France a publié un excellent ouvrage collectif au titre évocateur : *L'Internet professionnel*. Nous utiliserons donc l'article dans ce livre.

Posez par terre, on va l'trier !

Vous avez sans doute remarqué que les gens *in* échangeaient maintenant non plus leurs *coordonnées* (adresse postale, numéro de téléphone) mais leurs *adresses électroniques*, chacun communiquant son *e-mail* à l'autre. Radios et entreprises vous proposent d'aller consulter leur site Web.

Avec les réseaux, ce qui compte, c'est la taille, parce que plus un réseau est grand et plus on y trouve de choses. Comme l'Internet est le plus grand réseau du monde, c'est lui qui en offre donc le plus. L'Internet représente un nouveau moyen de communiquer qui affecte notre existence à une échelle comparable au téléphone et à la télévision. Si vous vous servez d'un téléphone, que vous écrivez du courrier, que vous lisez un journal ou un magazine, ou si votre job touche à la recherche, l'Internet va changer (a déjà changé, peut-être ?) radicalement votre perception du monde. Nous allons vous présenter quelques-unes de ses possibilités.

✔ **Le courrier électronique** *(e-mail).* C'est sans doute le service le plus largement utilisé. Il vous permet de correspondre avec des millions de gens, un peu partout dans le monde. Vous l'utilisez comme vous utiliseriez le fax, les services de coursiers, le téléphone ou le courrier postal traditionnel : pour bavarder, échanger des recettes de cuisine, parler d'amour, colporter des ragots... Des *mailing lists* (listes de diffusion) vous permettent d'envoyer le même message, en même temps, à un groupe de personnes partageant le même centre d'intérêt.

✔ **Le World Wide Web (le Web, en abrégé).** Quand, autour de vous, vous entendez parler de *surfer sur le Net*, cela signifie que vos interlocuteurs consultent des sites informatiques de type multimédia sur lesquels ils peuvent trouver du texte, des images, du son, des animations, des programmes, des jeux... tout ce qu'ils peuvent désirer ou presque. Le taux de croissance du Web est supérieur à tout ce que vous pouvez imaginer. De nouveaux sites apparaissent toutes les minutes. En 1993, il y en avait 130. Huit ans après, on parle de plusieurs millions et les statistiques indiquent que ce nombre double à peu près tous les deux mois.

Le programme qui permet de consulter le Web s'appelle un *navigateur* (en anglais : *browser*). Les navigateurs les plus utilisés actuellement sont Netscape Navigator et Internet Explorer (de Microsoft).

✔ **Les conversations en ligne (le *chat*).** Les gens peuvent communiquer (au moyen du couple écran/clavier) d'un point du globe à l'autre et échanger ainsi des idées sur n'importe quel sujet. Pour cela, ils "entrent" dans des salons de conversation virtuels *(chat rooms)* dans lesquels se trouvent déjà leurs interlocuteurs. Le plus souvent au moyen d'une technique particulière appelée IRC *(Internet Relay Chat)*.

✔ **La recherche d'informations.** Beaucoup de sites informatiques proposent des bases de données dont l'accès est gratuit. Depuis les décisions de la Cour suprême des Etats-Unis jusqu'aux catalogues d'éditeurs en passant par des photographies numérisées (de toute nature, pas toutes à usage familial).

Le problème, avec cette masse d'informations, consiste à extraire l'aiguille, qui représente ce que vous recherchez, de la meule de foin qui symbolise ce que l'Internet met à votre portée. Pour vous y aider, il existe des outils spécifiques, *moteurs de recherche*, *index* et *répertoires*. Les deux plus utilisés sont probablement AltaVista et Yahoo!.

✔ **Le commerce électronique.** C'est la Redoute + le Minitel transposés sur l'Internet. On paye presque toujours avec une carte de crédit.

✔ **Intranets, extranets et portails.** L'intranet, c'est l'Internet limité au cadre d'une seule entreprise : un Internet interne, en somme. Certaines entreprises ont imaginé qu'elles pouvaient aussi utiliser leur réseau pour travailler avec leurs clients, fournisseurs et autres partenaires professionnels. On a appelé ça des *extranets*. Quant aux *portails*, c'est l'offre de plusieurs services à partir d'un seul site Web qui leur sert alors de point d'entrée.

✔ **Jeux et bavardages.** Enfin, plutôt que de jouer contre son . ordinateur, on peut jouer au moyen de l'Internet contre d'autres joueurs situés n'importe où dans le monde.

Qu'est-ce qui fait la différence ?

L'Internet est différent des autres médias que nous connaissons. On y fréquente des gens de tous âges, de toutes couleurs et de tous pays qui y échangent librement leurs idées, leurs histoires, leurs données, leurs opinions et leurs produits.

Tout le monde peut y accéder

Ce qu'il y a de plus frappant avec l'Internet, c'est qu'il s'agit sans doute du moyen de communication le plus ouvert de la planète. Des milliers d'ordinateurs en dispensent les "bienfaits" à tous ceux qui ont un ordinateur personnel et une ligne téléphonique.

Il est politiquement, socialement et religieusement correct

L'Internet n'est pas "socialement stratifié". C'est-à-dire qu'aucun ordinateur n'est "meilleur" qu'un autre et que personne n'est "meilleur" que son voisin. Qui que vous soyez : étudiant ou professeur, patron ou employé, jeune ou vieux, vous y accédez de la même façon pour peu que vous sachiez lire et vous servir d'un clavier. Les handicaps physiques s'estompent. Un humoriste a pu dire : "Sur Internet, personne ne sait que je suis un chien."

Le Net a-t-il un net avantage ?

Voici quelques-uns des usages les plus fréquents de l'Internet :

✔ **Recherche de personnes.** Si vous avez perdu trace de la tendre amie de votre enfance, vous pouvez maintenant espérer la retrouver où qu'elle soit dans le pays. Cependant, ne vous faites pas trop d'illusions : si vous pouvez consulter de nombreux annuaires sur l'Internet, ils ne sont ni exhaustifs ni à jour. Même sur le Net, il n'existe pas encore de 3611 mondial.

- **Recherche d'adresses commerciales, de produits et de services.** De nouveaux annuaires vous permettent de trouver une entreprise en faisant une recherche par type d'activité. Certains s'en servent pour trouver des cadeaux rares. Une de nos amies nous a raconté sa recherche d'un pendentif en patte d'ours qui l'a conduite jusqu'à une entreprise basée dans l'Alaska, qui avait tout juste ce qu'elle cherchait.

- **Recherche d'informations.** Les cabinets d'avocats ont découvert qu'une grande partie des informations qu'ils payaient une fortune de l'heure à des officines spécialisées pouvaient se trouver pour presque rien sur le Net. Les investisseurs immobiliers utilisent des données démographiques, associées à des statistiques de chômage pour savoir où ils peuvent opérer avec toutes les chances de réussir. Les chercheurs échangent des résultats scientifiques dans n'importe quel domaine sur le monde entier.

- **Enseignement.** Aux Etats-Unis, beaucoup d'enseignants coordonnent leurs projets avec d'autres classes du monde entier. Les étudiants font des recherches à l'aide de leur ordinateur familial. Les plus récentes encyclopédies sont en ligne. Mais leur accès n'est pas toujours gratuit.

- **Voyages.** La plupart des agences de voyages utilisent le Web pour informer leurs clients de leurs programmes et de leurs voyages organisés. On y trouve aussi des informations météorologiques, des horaires de trains, des billets d'avion et les heures d'ouverture des musées.

- **Marketing et vente.** A l'exception de Microsoft, les éditeurs de logiciels vendent leurs produits et proposent des mises à jour sur le Net. Les ventes de livres et de disques par correspondance permettent de choisir à partir de chez soi, sans avoir à se déranger, où que se trouve le vendeur.

- **Amour.** Le Net peut aussi servir à pousser la romance. Les sites pour célibataires et les agences matrimoniales fleurissent un peu partout.

- **Santé.** Les médecins se tiennent au courant des tout derniers progrès de la médecine et peuvent aussi partager leur expérience.

✔ **Investissements.** Les achats et ventes d'actions se font couramment sur l'Internet. Certaines entreprises ont pignon sur le Web et y vendent directement leurs actions.

✔ **Organisation de manifestations.** Les organisateurs de conférences et de salons commerciaux considèrent le Web comme un excellent moyen de répandre leurs informations, de lancer des appels aux communications et de prendre les inscriptions des participants.

✔ **Organisations sans but lucratif.** Eglises, synagogues, sectes et autres communautés y font leur propagande. Finie l'époque des missionnaires itinérants !

Le commerce électronique

Bien des choses ont été dites sur cette nouvelle forme de vente par correspondance qu'est le commerce électronique par le Web. Le problème principal réside dans la façon de payer. "Tapez le numéro de votre carte de crédit" a de quoi faire fuir ceux qui savent le peu de sécurité qu'offre l'Internet. Et, cependant, ils le font couramment sur leur Minitel !

La sécurité en général

Certains se montrent très circonspects lorsqu'il s'agit de donner leur numéro de carte de crédit sur le Net. Malgré tout le tapage fait autour des risques engendrés par l'utilisation de cartes bancaires sur le Net, nous n'avons jamais rencontré un seul cas de numéro de carte volé au cours d'une transaction sur l'Internet. Sachez que les gestionnaires de cartes de crédit sont encore plus concernés que vous par toute forme de fraude, que ce soit sur le Net ou en dehors. Toutes les cartes ont un plafond de dépense et en cas d'usage abusif, c'est presque toujours votre banque qui devra vous rembourser.

La sécurité, plus spécifiquement

Pour éviter que des individus malintentionnés ne copient les informations privées circulant sur le Net, les décortiquent et les réutilisent à leur profit, il existe plusieurs méthodes de chiffrement. Les serveurs ayant mis en place de telles procédures sont dits *sécurisés*.

Quelques idées sur la sécurité et l'intimité

L'Internet est un lieu étrange. A certains égards, il est totalement anonyme et, à d'autres, il ne l'est pas du tout. Au bon vieux temps, les gens adoptaient des noms d'utilisateurs *(usernames)* ayant une étroite ressemblance avec leur véritable identité, ce qui permettait une identification facile. Aujourd'hui, rien ne vous empêche d'adopter comme nom d'utilisateur n'importe quel pseudonyme.

Selon votre personnalité et l'utilisation que vous faites du Net, il est vrai que vous pouvez souhaiter vous présenter sous des noms différents : l'usage des *noms de plume* n'est pas nouveau. Voici quelques raisons parfaitement légitimes d'agir ainsi :

- ✔ Vous exercez une profession bien spécifique (médecin, par exemple) et vous voulez participer à un forum de discussion sans avoir à donner de consultation gratuite.

- ✔ Vous voulez demander de l'assistance à l'occasion d'un problème personnel, sans que votre entourage puisse se douter de quoi que ce soit à votre égard.

- ✔ Vous faites du commerce sur le Net, vous l'utilisez aussi à des fins personnelles et vous ne souhaitez pas que ces deux activités soient confondues.

Cependant, un petit avertissement à tous ceux qui envisageraient d'exploiter la nature anonyme du Net : il est presque toujours possible de remonter à la source de la plupart des actions effectuées sur le Net.

Sécurité d'abord

La nature anonyme de l'Internet a sa contrepartie. Nous vous conseillons de ne jamais utiliser votre nom complet et encore moins d'indiquer vos coordonnées (nom, adresse et numéro de téléphone) à un étranger sur le Net. Ne faites jamais confiance à qui que ce soit prétendant faire partie de l'assistance technique de votre fournisseur d'accès. Aucune entité autorisée ne vous demandera jamais votre mot de passe. Méfiez-vous également des organismes qui pourraient se servir de vos infos pour vous inonder de publicités.

Bien que ce soit relativement rare, certains ont eu à subir de pénibles mésaventures de la part de leurs compagnons de rencontre, lorsqu'ils sont passés de l'Internet à la vie réelle. D'autres, au contraire, ont eu plus de chance et n'ont eu qu'à s'en féliciter. Nous avons fait la connaissance de quelques-uns de nos meilleurs amis sur le Net et il y a des gens qui se sont même mariés à la suite d'une rencontre en ligne. Voici quelques conseils si vous projetez une rencontre sur le Net :

- ✔ Parlez à cette personne au téléphone avant de convenir d'un rendez-vous *de visu*. Si vous n'aimez pas le son de sa voix ou si quelque chose vous inquiète dans son comportement, ne donnez pas suite.

- ✔ Selon le contexte, essayez de tester votre interlocuteur. Si vous avez fait sa connaissance dans un forum ou dans un salon IRC, demandez à une tierce personne que vous connaissez bien son opinion sur votre nouvel ami. (Mesdames, avant de rencontrer un homme, demandez à une autre femme ce qu'elle en pense.)

- ✔ Convenez d'un rendez-vous dans un endroit public. Dites à quelqu'un où vous allez ou, mieux, emmenez un(e) ami(e) avec vous.

- ✔ Si vous êtes un adolescent, allez-y avec un parent. Ne convenez jamais d'un rendez-vous sans le consentement explicite de vos parents.

Les cookies

Pour mieux nous repérer sur le Net, les créateurs de logiciels de navigation ont inventé un type de message spécial qui permet à un serveur Web de garder trace du moment où vous avez visité son site. Ces informations sont conservées sur votre propre machine sous le nom de *cookies*. C'est, en principe, destiné à faciliter votre future visite. Qu'ils disent !

Ces informations peuvent effectivement faciliter votre navigation lors d'une prochaine connexion sur ce site, mais elles peuvent aussi vous causer quelques ennuis. Certains de ces cookies sont réellement très utiles. Par exemple, lorsque vous faites une réservation auprès d'une compagnie aérienne, son serveur utilise un cookie pour enregistrer le vol sur lequel vous avez effectué votre réservation et le séparer des réservations faites par d'autres clients au même moment. D'un autre côté, supposons que vous utilisiez votre carte de crédit pour acheter quelque chose sur un serveur Web et que le site se serve d'un cookie pour mémoriser votre numéro de carte de crédit. Si vous avez fait cet achat depuis votre ordinateur professionnel et que quelqu'un d'autre utilise votre machine, il pourra fort bien faire ses achats sur votre compte.

Il est sans doute vrai que les cookies peuvent faciliter votre navigation sur le Web. C'est vous qui voyez. Chaque serveur Web peut vous proposer des cookies. Vous devez savoir que ça existe, pour vous en protéger éventuellement.

Les fichiers de cookies portent parfois le nom *cookie* mais ce n'est pas une règle. Si Netscape donne bien aux siens le nom `cookies.txt`, Internet Explorer les appelle `lemien@xxx.txt`, où xxx représente le nom du serveur qui a déposé le cookie. Sur les Macintosh, ces fichiers s'appellent `MagicCookie`. Vous pouvez supprimer un fichier de cookies, le navigateur en recréera un nouveau, vide.

Contrairement à ce que d'aucuns prétendent, les fichiers de cookies ne peuvent pas glaner d'informations présentes sur votre disque dur. Ils ne peuvent que collecter des informations données par le navigateur.

En plus du fichier de cookies, Internet Explorer conserve dans le fichier `history.htm` un historique des visites que vous avez faites sur le Web. Si quelqu'un d'autre que vous utilise votre machine, vous pouvez souhaiter supprimer ce fichier si vous ne voulez pas qu'on sache quelles sont vos fréquentations sur le Web. Beaucoup d'entreprises considèrent que les machines mises à la disposition de leur personnel doivent être réservées à un usage professionnel. Sous réserve de vous en avoir averti préalablement, elles ont le droit d'inspecter votre courrier électronique (entrant et sortant) et toutes les données de votre ordinateur, y compris votre fichier historique détaillant chacun de vos mouvements. Faute de cet avertissement, une récente jurisprudence s'est établie en France pour protéger le secret de votre correspondance.

Le chiffrement

Envoyer un e-mail, c'est comme envoyer une carte postale : presque tout le monde, et en particulier l'administrateur du système que nous utilisons, peut en prendre connaissance puisqu'il peut librement explorer le contenu de ses disques durs.

Il existe une méthode de chiffrement appelée PGP *(Pretty Good Privacy)*, inventée il y a quelques années par un chercheur américain, Phil Zimmermann, qui, par la méthode des clés publique et privée, assure un chiffrement très difficile à décoder par quiconque ne possède pas la bonne clé. En France, son usage est soumis à certaines restrictions. En outre, son utilisation est assez compliquée et nous n'avons pas la place de l'expliquer dans ce livre.

Chapitre 2

L'Internet à la maison, au bureau, à l'école ou pour s'amuser ?

. . . .

Dans ce chapitre :

▶ Le Net à la maison.

▶ Le Net au bureau.

▶ Intranets, extranets et portails.

▶ Le Net à l'école.

▶ Le Net pour se distraire.

. . . .

C e chapitre se propose de vous donner quelques exemples des mille et une facettes captivantes du Net. Mais ne vous méprenez pas, nous allons seulement vous indiquer ce que vous pouvez faire ; pour savoir *comment* faire, vous devrez continuer votre lecture.

Le Net à la maison

Le Net modifie notre mode de vie de nombreuses façons. Par exemple, si vous êtes à la recherche d'une maison ou d'un appartement, vous pouvez directement prospecter de chez vous les listes proposées par les agences immobilières possédant des sites Web. Vous pouvez aussi consulter la météo et rechercher un nouvel emploi. Dès votre arrivée dans votre nouvelle demeure, vous pourrez la décorer avec toutes sortes de meubles dénichés sur le Net ou y trouver les entrepreneurs qui viendront la repeindre ou la remettre en état.

L'Internet peut également vous aider à tenir vos comptes personnels. Vous pouvez télécharger des logiciels de comptabilité ou même les utiliser directement sur le Web si vous ne tenez pas à les installer. Vous pouvez calculer vos impôts en ligne et obtenir des conseils pour remplir votre feuille de déclaration sans perdre des heures au téléphone ou vous déplacer jusqu'au centre des impôts le plus proche.

Vous pouvez tout acheter sur le Net, des chaussures aux pizzas, et même vous les faire livrer à domicile. Vous y trouverez des recettes de cuisine, des billets d'avion et toutes sortes d'informations sur les thèmes que vous pouvez imaginer.

Le Net au bureau

De plus en plus d'entreprises utilisent l'Internet et ses technologies pour effectuer chacune des tâches bureautiques quotidiennes. L'e-mail a remplacé les mémos ; vous pouvez réserver vos voyages et commander des fournitures en ligne. Vous communiquez avec vos collègues sur un *intranet* et avec vos clients sur un *extranet.*

Qu'est-ce que l'intranet et à quoi ça sert ?

Les spécialistes en marketing ont inventé l'intranet qui est juste la même chose que l'Internet mais transposée à l'intérieur d'une entreprise sur son propre réseau local.

Plus spécifiquement, c'est un ensemble de services matérialisé par des pages Web accessibles seulement de l'intérieur de l'entreprise. Alors que le World Wide Web couvre le monde entier, l'intranet est cantonné à l'intérieur d'une organisation particulière et les pages Web qui y sont proposées ne sont accessibles que par le personnel de l'entreprise.

Quel est le but recherché ?

A l'intérieur de l'entreprise, l'existence d'un intranet contribue à distribuer les informations importantes intéressant l'entreprise, informations normalement concentrées dans des bases de données sur de gros ordinateurs et qui pourraient profiter à d'autres agents de l'entreprise s'ils savaient qu'elles existaient et comment y accéder.

Dès lors que le personnel dispose d'un navigateur Web (nous y viendrons aux Chapitres 6 et 7), il devient très facile d'écrire une espèce de "colle logicielle" (connue sous le nom de *middleware*, terme expliqué dans l'encadré intitulé "Vous aussi, vous pouvez devenir consultant intranet !") permettant de recueillir ces informations habituellement enterrées et de les proposer à tous. Avec l'intranet, c'est une affaire de semaines là où l'utilisation d'outils logiciels traditionnels aurait demandé des mois sinon des années. Et, en plus, le budget à y consacrer est des plus réduit.

Lorsqu'une organisation se dote d'un intranet, tous ceux qui sont reliés à son réseau local peuvent en profiter facilement. Tout ce qui concerne cette organisation et qui peut être mis à la portée de tous peut être consulté sans difficulté. Les informations sur les produits, par exemple, deviennent alors très facilement accessibles.

Du bon emploi de l'intranet

Ce que votre entreprise peut réaliser à l'aide d'un intranet n'est limité que par l'imagination des responsables du système. En voici quelques exemples. Les mots en italique sont définis dans l'encadré intitulé "Vous aussi, vous pouvez devenir consultant intranet !".

- Presque toutes les notes de service peuvent être diffusées avec bien plus d'efficacité sous forme de courrier électronique ou de page Web.

- Ces gros manuels qui encombrent les étagères seraient beaucoup plus faciles à consulter s'ils étaient en ligne. Et ils seraient plus à jour, plus rapidement et plus souvent.

- Les catalogues, listes de pièces détachées et tout ce qui y ressemble, sont des candidats parfaits pour une édition sur le Web au moyen d'une technique appelée "publication de base de données" *(database publishing)* qui crée automatiquement des pages Web à partir d'informations extraites des systèmes existants.

- Si plusieurs personnes travaillent sur le même projet, placer les informations concernant ce projet sur le Web permet à chacun de se tenir constamment au courant de l'état d'avancement du travail collectif.

- Si votre entreprise apprécie le multimédia, vous pouvez ajouter à votre intranet des animations, des sons et des vidéos.

- La mise à disposition de formulaires en ligne a considérablement réduit toute la paperasserie bureautique, et en facilite la circulation et la mise à jour. La technologie Internet, (plus particulièrement le Web et l'e-mail), associée aux bases de données traditionnelles, conduira à des changements dans l'organisation des entreprises.

Vous aussi, vous pouvez devenir consultant intranet !

Voici quelques mots à connaître si vous voulez passer pour un expert en intranet :

Client/Serveur. Type de système informatique dans lequel un programme (le client) tourne sur un ordinateur, attendant d'être utilisé. Un autre programme, le serveur, tourne sur une autre machine où il gère d'importantes informations. Les deux sont connectés par un réseau. L'Internet n'a jamais travaillé autrement.

Publication de base de données (database publishing). Méthode qui met à la portée de tous des informations concernant une entreprise. Ces informations étaient auparavant enterrées dans de gigantesques bases de données auxquelles n'avaient accès qu'un nombre limité de personnes. Bien que cela facilite grandement le travail de la collectivité, certains dirigeants sont inquiétés en raison des problèmes de confidentialité que cela pose.

Epuration, synthèse. Procédé consistant à ne retenir que l'essentiel d'un ensemble d'informations de façon à les mettre à la portée de n'importe quel client.

Vestige du passé. Quelque chose qui est obsolète tout en demeurant essentiel. "Je suis à la recherche de deux pneus à flancs blancs rechapés pour ce vestige du passé qu'est ma voiture de collection." Les choses vont actuellement si vite qu'on désigne sous ce nom un ordinateur utilisé depuis plus de deux ou trois ans.

Middleware. Néologisme désignant un type de logiciel servant à relier un module de programme à un autre pour lesquels personne ne croyait le mariage possible.

Plate-forme. Matériel ou logiciel informatique de base sur lequel tourne un système particulier. "Nous sommes en train de réaliser une plate-forme Netscape sur une plate-forme Pentium/Windows 2000."

Solution. Package d'applications ou association de logiciels et de matériel effectuant (ou censé effectuer) un certain travail. De préférence onéreux.

Intra ou extra ?

Installez l'Internet dans votre entreprise et ça devient un *intranet*. Portez cet intranet en dehors de l'entreprise et vous aurez un *extranet*. C'est l'extension des facilités de l'intranet à tout l'environnement de l'entreprise : clients, fournisseurs, succursales, filiales... En somme, un *Internet privé* auquel seuls peuvent accéder certains utilisateurs. On l'a appelé tout naturellement *extranet*. Mais il s'agit toujours de la même technique à cela près qu'elle est utilisée différemment.

Quelle importance ?

Vous discutez maintenant bien plus souvent avec vos partenaires commerciaux habituels au moyen du Net que vous le faisiez par téléphone. De nombreuses entreprises se sont aperçues qu'elles pouvaient ainsi limiter les frais d'assistance et de service après-vente proposés à leurs clients en mettant en place des rubriques particuliè-res sur Internet. Même chose pour tout ce qui concerne le marketing et les services commerciaux.

La sécurité constitue un autre aspect important de l'extranet : ce système peut être conçu de façon à être protégé de toute inquisition extérieure. Seuls les gens autorisés ont accès à ce qui s'y trouve. Enfin, en principe !

En pratique

Voici quelques-unes des façons de mettre en pratique les extranets (votre imagination pourra sans doute en trouver d'autres) :

- ✓ Bulletins d'information, communiqués de presse, annonces de nouveaux produits et toutes autres sortes d'informations qu'une entreprise envoyait généralement par le courrier postal ou par fax.

- ✓ Catalogues et brochures peuvent être proposés sur le Web, ce qui amène une sérieuse diminution des coûts d'impression et en facilite la mise à jour.

- ✓ Enregistrement des commandes en ligne, assurant ainsi un meilleur suivi.

- ✓ Les réponses aux questions le plus souvent posées peuvent être placées sur un site Web, de façon à éliminer un grand nombre d'appels téléphoniques.

Votre portail Internet

A partir d'un emplacement unique qu'on a appelé *portail*, on propose des points d'entrée vers toutes sortes de services. Par exemple, Yahoo!, un site Web qui est ce qu'on appelle un *moteur de recherche* (voyez le Chapitre 8), fut l'un des premiers sites à ajouter d'autres types de rubriques à son environnement. En plus des recherches habituelles, vous pouvez envoyer et recevoir du courrier électronique ou participer à des enchères. L'un des avantages offerts par un portail Internet est de rassembler différentes fonctions en un même point d'accès. L'objectif premier des entreprises qui créent un portail est de faire en sorte qu'elles soient *le* lieu que vous fréquentez, votre point de départ et d'arrivée sur le Net. Elles aimeraient que vous lisiez les infos qu'elles proposent, achetiez les produits qu'elles présentent et que vous ne quittiez jamais leur site. Un peu la carte forcée, en somme !

Le Net à l'école

En quelques années, l'Internet s'est péniblement (en France) frayé un chemin dans tous les établissements scolaires quels qu'ils soient. (Nous en reparlerons plus en détail au Chapitre 3.) Outre l'opportunité évidente d'effectuer des recherches sur le Net, l'Internet à l'école facilite le travail de groupe et offre un excellent moyen de communication entre étudiants ou élèves et enseignants. Nous connaissons une université (aux Etats-Unis) où les professeurs peuvent consulter en ligne les photos et fiches signalétiques de tous leurs étudiants (et réciproquement), et où cours et devoirs sont régulièrement échangés sur l'Internet. Dans certains cas, le Net *est* l'université, mais nous y reviendrons plus tard.

Le Net pour se distraire

Pour certains, l'Internet n'est que la plus géniale des aires de jeux et de loisir. Vous pouvez y rencontrer des personnes partageant les mêmes centres d'intérêt que vous ; jouer à toutes sortes de jeux interactifs ; pénétrer dans des mondes virtuels en trois dimensions ; parler différentes langues (à condition de les connaître, bien sûr !) ; et rencontrer des personnes résidant n'importe où sur le globe. Ou tout simplement surfer.

Chapitre 3

Le Net, vos enfants et vous

* *

Dans ce chapitre :

▶ L'Internet et la vie de famille.

▶ Quelques règles à respecter.

* *

A vec plus de sept millions d'enfants sur le Net, nous pensons qu'une petite discussion sur l'Internet à la maison s'impose. Bien évidemment, si cela ne vous concerne pas, rendez-vous directement au Chapitre 4.

L'Internet et la vie de famille

La plupart des parents se demandent encore en quoi l'Internet peut bien être utile à leurs enfants et quelles en sont les implications pour eux et leur famille. Bien que personne n'ait de réponse absolue dans ce domaine, nous pouvons en tracer les grandes lignes et mettre en évidence les avantages et les éventuels inconvénients que nous y trouvons.

Les mille et une facettes de la maison-net

Voici quelques exemples illustrant les intérêts que nous lui trouvons :

- ✔ Il fournit des informations sur tous les thèmes imaginables.

- ✔ Il permet de rencontrer de nouvelles personnes et de découvrir de nouvelles cultures.

- Il facilite la lecture, l'écriture, les recherches et l'apprentissage des langues étrangères.

- Il peut apporter un soutien aux familles ayant des handicaps ou des besoins spécifiques.

- Il offre un nouveau moyen d'expression artistique.

Toutefois, tout ce qui est nouveau n'est pas forcément merveilleux. Plus encore en matière d'éducation, nous devons être très prudents et faire quelques distinctions : de quel type d'enfants parlons-nous ? S'agit-il de jeunes enfants, de préadolescents, d'adolescents ? Ce qui convient à un groupe ne fonctionne pas forcément pour un autre. Nous allons voir cette question de plus près en fonction des différentes tranches d'âge.

L'Internet pour les tout petits

Nous sommes de fervents défenseurs de l'enfance traditionnelle. Nous laissons nos enfants être des enfants loin des ordinateurs. Il ne nous semble pas bon de laisser les jeunes enfants (de zéro à sept ans) devant un écran. Pour nous, les ordinateurs sont de bien piètres baby-sitters. Les plus petits profitent beaucoup mieux de la vie en jouant avec des arbres, des ballons, des crayons, de la peinture, de la pâte à modeler, des vélos et... d'autres enfants.

L'Internet pour les ados et préados

A notre avis, l'Internet convient beaucoup mieux aux enfants un peu plus âgés, à partir de 10 ans au moins, à condition de contrôler son temps d'utilisation. Nous sommes convaincus qu'il n'est pas bon de laisser un enfant devant un écran toute la journée. Il doit pouvoir communiquer avec d'autres êtres humains. Les jeunes qui souffrent d'un problème de communication se réfugient bien trop souvent derrière des écrans (télé, ordinateur ou autre), ce qui ne favorise pas leur socialisation. Au contraire, cette attitude aurait plutôt tendance à accentuer leurs difficultés. Faites en sorte que vos enfants passent au bain ou à la douche et prennent leur repas régulièrement et qu'ils discutent avec de véritables personnes, face à face.

Assurez-vous également qu'ils connaissent bien les règles de sécurité appliquées au Net :

- Ne jamais révéler son identité mais n'utiliser que son prénom et ne jamais donner son nom, son adresse, son numéro de téléphone ou le nom de son école.

✔ Ne jamais accepter de parler à quelqu'un au téléphone ou de le rencontrer en personne sans en aviser au préalable ses parents.

✔ Ne pas croire que ce qu'on leur dit est nécessairement la vérité. Cet enfant de son âge qui partage les mêmes centres d'intérêt et les mêmes loisirs que lui est peut-être un homme solitaire de 40 ans qui cherche à se faire des amis.

✔ Si quelqu'un l'effraie ou le met mal à l'aise, il doit le dire à ses parents (tout particulièrement si cette personne lui demande de n'en rien faire).

Ces mises en garde une fois bien comprises, l'Internet est un moyen incroyable d'étendre les frontières de l'école. Le Net peut relier le jeune à d'autres écoles, bibliothèques, sources de recherche et musées. Il peut, par exemple, visiter le Louvre (`mistral.culture .fr.louvre`) et la chapelle Sixtine (`http://www.christusrex.org /www1/sistine/0-Tour.html` – attention, c'est en anglais !), pratiquer l'anglais, l'espagnol ou toute autre langue via le "chat", écouter de la musique et se faire de nouveaux amis.

L'Internet pour les étudiants

Certaines facs et grandes écoles proposent des sites dans lesquels professeurs et étudiants peuvent partager et mettre à jour des fiches de renseignements. Le courrier électronique est un très bon moyen pour conserver le contact entre parents et étudiants au cours de leurs études. Les familles ont tendance à moins se disputer lorsqu'elles communiquent par e-mail car les gens, prenant le temps de la réflexion, disent ainsi beaucoup mieux ce qu'ils pensent.

Un job en ligne

Le Net constitue un bon outil de recherche d'emploi. Il permet aux étudiants de mener facilement leur recherche d'emploi car on peut y publier son C.V. en ligne à l'attention d'éventuels employeurs. Il existe de plus en plus de sites Web consacrés à l'emploi. Consultez les moteurs de recherche (décrits au Chapitre 8) pour trouver leurs adresses. Chez nous, notons tout particulièrement les sites de l'APEC (`www.apec.asso.fr/`) et de l'ANPE (`www.anpe.fr`).

La plupart des entreprises trouvent que publier leurs offres d'emploi sur le Net est un moyen efficace et économique de recruter du personnel très qualifié. Visitez les pages d'accueil des entreprises qui vous intéressent, si elles ont des postes à pourvoir, vous en trouverez probablement une liste quelque part, souvent sous la forme d'un lien marqué *X recrute* (où *X* est le nom de l'entreprise).

Quelques règles à respecter

Ce qui préoccupe le plus les parents, c'est le type des informations auxquelles peuvent accéder les enfants. En particulier, les sites Web essayant de leur vendre directement tel ou tel produit. Inquiétude justifiée dans la mesure où un nombre croissant de "bonnes choses" autant que de "mauvaises" ont déferlé sur le Web. Malheureusement, nous n'avons pas de réponse simple à vous offrir.

Comment guider vos enfants

Tout le monde s'accorde à dire qu'il n'y a pas de meilleur substitut qu'une surveillance parentale lorsqu'il est question de l'accès au Net. Si vous prenez le temps d'explorer le Web avec eux, vous aurez l'opportunité de partager cette expérience tout en leur inculquant le sens des valeurs et de la critique. Des logiciels spécifiques sont créés pratiquement tous les jours pour aider les parents et les éducateurs à trouver les ressources adéquates sans mauvaises surprises. Malheureusement, leur efficacité reste à prouver. Etablissez des règles pour votre famille. Définissez les zones hors limite, déterminez les durées de connexion et soyez très explicite quant au type de données que vos enfants peuvent échanger sur le Net.

Utiliser le Net, comme regarder la télé, est une expérience solitaire, vous devez donc prendre soin d'établir des limites tout en laissant à vos enfants la liberté dont ils ont besoin pour explorer le cybermonde. Quoi qu'il en soit, ne laissez pas l'écran devenir le baby-sitter de votre enfant. Et jetez un œil sur vos factures téléphoniques pour déceler des appels inhabituels.

Définir les limites

Si vous ne laissez pas vos enfants regarder la télé en permanence, il n'y a pas non plus de raison pour que vous les laissiez utiliser le Net en permanence. L'ordinateur n'est pas systématiquement un formidable outil éducatif. On connaît tous des enfants scotchés à un écran du matin au soir et qui semblent se situer dans un monde virtuel plus que dans un monde réel.

Les outils disponibles

De plus en plus de produits (on en compte une cinquantaine aux Etats-Unis) destinés à aider les parents à restreindre l'accès au Net ou à en contrôler l'utilisation apparaissent sur le marché. Mais ils ne peuvent en aucun cas se substituer à votre attention personnelle : ils se contentent de filtrer les informations en fonction de mots-clés et de listes prédéfinies par les auteurs du programme. On ne connaît pas exactement les critères de leurs restrictions, qui peuvent ne pas correspondre à vos propres idées sur le sujet. Vous trouverez un exemple de ce type de contrôle sur la page Web `www.teaser.com/controle.html`.

Deuxième partie
Embarquez sur le Net

Dans cette partie...

L a plus grande difficulté dans l'utilisation de l'Internet, c'est probablement de réussir à s'y connecter. Ici, nous allons vous expliquer quel type de service Internet vous convient le mieux et vous aider à vous connecter sous Windows 32 bits. Tous les prix indiqués sont TTC (toutes taxes comprises). Sachez que rien n'est plus changeant que les sites Web sinon la politique tarifaire des fournisseurs d'accès à l'Internet. Aussi, devez-vous considérer ces prix comme des ordres de grandeur susceptibles de varier à tout moment selon la politique de regroupement des prestataires ou leurs déboires économiques.

Chapitre 4

Internet, me voilà !

*P*our réaliser une connexion Internet, il vous faut un ordinateur, un modem (pour le relier au réseau téléphonique), un abonnement auprès d'un fournisseur d'accès à l'Internet et, bien entendu, les logiciels nécessaires. Nous allons examiner ces ressources l'une après l'autre.

Avez-vous un ordinateur ?

C'est la première question à vous poser. Nous allons voir que plusieurs réponses sont possibles.

N'importe quel ordinateur fera l'affaire

Théoriquement, à peu près n'importe quelle machine construite depuis 1990 pourrait convenir. Mais soyons réalistes : mieux vaut vous débarrasser d'une aussi vieille bécane car une machine trop ancienne vous apportera plus d'ennuis que de satisfactions. Si votre matériel a plus de trois ou quatre ans, il est préférable d'en acquérir un plus récent (neuf ou n'ayant pas plus d'un an). On trouve des machines complètes pour à peine plus de 5 000 francs dans les grandes surfaces.

Oui, j'en ai un tout neuf !

On se connecte généralement à l'Internet en laissant l'ordinateur composer le numéro d'appel téléphonique du fournisseur d'accès, mais il existe d'autres moyens de connexion – davantage rapides – qui sont à la fois plus onéreux et pas encore disponibles partout. En France, il s'agit de Numéris, de l'ADSL ou du câble télévision (nous reviendrons plus loin sur ces méthodes et expliquerons en quoi cela consiste).

Non, mais je vais en acheter un

Mac ou PC, c'est pire qu'une guerre de religion. Mais, question prix, la différence est importante. En raison des protections paranoïaques dans lesquelles s'est toujours enfermé Apple, il n'existe pas de véritable "compatible Mac". Si pour votre connexion, vous envisagez l'achat d'un ordinateur, prenez-en un semblable à celui d'un ami. Ainsi, lorsque vous aurez un problème, ce dernier sera mieux à même de vous aider.

Non, je n'en ai pas

Si vous n'avez pas d'ordinateur, et ne souhaitez pas ou ne pouvez pas en acheter un, il reste encore quelques solutions envisageables. Par exemple, les *cybercafés*, qui fleurissent un peu partout, offrent une alternative réaliste. Comme leur nom l'indique, ce sont des débits de boisson où, en plus de vous abreuver, on vous loue à l'heure l'usage d'un ordinateur déjà raccordé à l'Internet. Cette solution, bien qu'elle se révèle onéreuse à la longue, n'est pas à rejeter, en particulier si vous voyagez beaucoup.

Si vous voulez éviter d'acquérir un véritable ordinateur mais que vous possédiez déjà une télévision, il existe une autre solution : l'acquisition d'une *Netbox*, ou *console Internet*, sorte de boîte noire qui se raccorde au téléviseur au moyen d'une prise Péritel et au téléphone par la prise habituelle (sans oublier l'indispensable prise de courant, bien sûr). Toutefois, cette solution relativement courante aux Etats-Unis ne l'est pas encore vraiment en Europe, tout au moins dans une gamme de prix "raisonnables".

Un modem, dites-vous ?

Cet acronyme signifie MOdulateur-DEModulateur. C'est un petit boîtier (dans le cas d'un modem externe) ou tout simplement une carte électronique qui va servir à convertir les signaux électriques transitant entre votre ordinateur et la ligne téléphonique. Dans le premier cas, il faut le plus souvent le raccorder sur une prise *série* (appelée aussi RS232) de l'ordinateur ; dans l'autre, il est nécessaire de l'insérer dans l'un des connecteurs placés à l'intérieur de votre machine. Dans les deux cas, il faudra aussi le raccorder à une prise de téléphone. Mais ce n'est pas pour autant que vous perdrez l'usage de votre téléphone.

L'une des caractéristiques fondamentales d'un modem est sa vitesse, ou plus exactement son *débit*, c'est-à-dire le nombre de caractères qu'il peut acheminer dans un sens ou dans l'autre par unité de temps. Les modems classiques, dits RTC (réseau téléphonique commuté), sont les plus répandus et offrent des connexions à (relativement) bas débit. Ce débit s'exprime en *bits par seconde* (bps – à ne pas confondre avec les *bauds*, terme encore parfois employé à tort par des commerciaux ou des ignorants). Pour une connexion à l'Internet, ces débits sont généralement compris entre 14 400 bps à 56 000 bps (on dit aussi 14,4 Kbps et 56 Kbps). Certains modems sont dotés de fonctions plus exotiques telles qu'un répondeur téléphonique intégré.

Nous vous avons parlé plus haut de *Numéris*. Il s'agit d'une ligne téléphonique spéciale offrant un débit garanti plus élevé (64 ou 128 Kbps). Elle est disponible partout mais la facture à régler à France Télécom subit une sérieuse augmentation en sus de frais d'installation conséquents. Dans ce qui suit, nous admettrons que vous n'avez pas besoin de ce débit élevé et nous laisserons cette solution de côté.

Certains ordinateurs récents sont vendus avec un modem intégré. Si ce n'est pas votre cas, nous vous conseillons vivement d'acquérir un modèle 56 Kbps (aussi appelé V90, du nom du standard qu'il respecte). Un modèle de performances inférieures ne vous coûterait pas tellement moins cher et vous auriez du mal à en trouver. Préférez un modem externe car vous pourrez l'installer sans qu'il soit nécessaire d'ouvrir votre ordinateur et vous aurez une idée de ce qui se passe sur la ligne en observant les petits voyants qui clignotent sur sa face avant. En outre, si vous changez de type d'ordinateur, vous pourrez presque toujours le réutiliser.

Vérifiez qu'il est bien livré avec deux (sinon trois) câbles : un pour le relier à la prise téléphonique ; l'autre pour le connecter à votre ordinateur et le troisième pour lui apporter le courant électrique via un petit bloc transformateur comme ceux qu'on utilise avec les baladeurs. Sachez que, sur le plan technique, tous les modems se valent à peu de choses près.

Note à l'intention des possesseurs d'ordinateurs portables. Si votre ordinateur dispose d'un connecteur au format carte de crédit (appelé aussi PCMCIA), achetez une carte modem qui puisse s'y glisser afin de ne pas avoir à transporter le modem en plus de l'ordinateur. Bien que son coût soit nettement plus élevé, le jeu en vaut la chandelle.

Les fournisseurs d'accès à l'Internet

Outre la possession d'un micro-ordinateur et d'un modem, et l'existence d'une ligne de téléphone, vous devez souscrire un abonnement auprès d'un *fournisseur d'accès*. Il en existe de deux types généraux selon qu'ils vous offrent ou non la gratuité des communications téléphoniques comme nous allons le voir un peu plus loin.

Pour vous connecter à l'Internet, vous avez deux choix possibles, trois avec un peu de chance :

✔ **Choix 1. Abonnez-vous à un service en ligne** (qu'on appelle aussi "fournisseur de contenu") tel que AOL. Ces services paraissent plus faciles à utiliser pour le néophyte et les informations y semblent présentées d'une façon plus organisée. Mais outre que tous ne vous donnent pas accès à l'ensemble des ressources de l'Internet, ils vous obligent souvent à choisir leur logiciel particulier. Leur accès n'est pas toujours facile, surtout aux heures de pointe, et l'internaute souffre de diverses vicissitudes telles qu'un signal d'occupation lors de la connexion téléphonique, et un débit ralenti.

✔ **Choix 2. Abonnez-vous à un fournisseur d'accès (FAI)** qui ne vous propose rien d'autre que l'accès, par l'ouverture d'un compte Internet, à l'ensemble des ressources de l'Internet, sans aucune valeur ajoutée. Vous n'aurez besoin que de logiciels spécifiques de l'Internet absolument standards. Aujourd'hui, la plupart des FAI proposent des kits de connexion automatisés très faciles d'emploi.

✔ **Choix 3 (avec un peu de chance). Optez pour une connexion haut débit de type ADSL ou câble.** Nous spécifions "avec un peu de chance", car l'ADSL (qui permet de faire passer simultanément des données et de la voix sur une ligne téléphonique) et le câble de télédistribution (qui utilise le réseau de télévision par câble) ne sont pas encore très répandus. Il est peu probable qu'ils le soient d'ici un avenir raisonnable dans les régions à faible densité de population, par exemple des endroits aussi civilisés que la haute vallée de Chevreuse, située seulement à une vingtaine de kilomètres de Paris.

Le prix à payer

Sans doute vous demandez-vous combien risque de vous coûter la réalisation de votre connexion à l'Internet. Nous allons voir de plus près ce qu'il en est.

Le type de facturation

Il n'existe pratiquement plus actuellement de fournisseur d'accès qui vous fasse payer le simple raccordement à l'Internet, communications téléphoniques exclues. Presque tous (disons les plus importants) vous proposent deux types de raccordement : soit gratuitement (vous devez régler votre facture de téléphone à France Télécom au même titre que vos communications vocales) ; soit au forfait : vous achetez un certain nombre d'heures de connexion mensuelles (de 3 heures à 50 heures et plus) et, dans ce prix, les communications téléphoniques sont incluses. Si vous dépassez ce quota, les minutes supplémentaires vous seront facturées en sus.

Cela vous coûtera en moyenne de 35 à 200 francs par mois, selon le nombre d'heures que vous achèterez. Par exemple, sachez que Club Internet propose un forfait de 20 heures mensuelles à 97 francs. Pour un prix très voisin, Free en propose 30.

Une autre formule est apparue au cours du second semestre 2000 : celle du forfait illimité. Modèle économique actuellement non viable en raison du quasi-monopole (de fait sinon de droit) toujours exercé par France Télécom sur le réseau commuté français. De fait, les quelques fournisseurs d'accès qui s'y étaient risqués ont dû rapidement faire marche arrière et certains, incapables de faire face techniquement à la demande, ont même été condamnés pour tromperie par la justice.

Nous allons tenter de voir à quel type d'utilisation s'adressent ces formules :

- ✔ Les *forfaits* s'adressent à ceux qui ont une utilisation régulière de l'Internet et sont donc à même de se connecter pendant à peu près la même durée moyenne chaque mois. Ainsi, quelqu'un qui se limite au courrier électronique ne consommera guère plus de cinq heures par mois.

- ✔ Les *abonnements gratuits* concernent davantage ceux qui ne maîtrisent pas leur consommation, soit qu'ils se laissent bercer par l'ivresse du surf sur le Web, soit qu'ils pratiquent le jeu à distance sur l'Internet. Ce sont de gros consommateurs et leur consommation peut dépasser une centaine d'heures par mois. La formule de l'illimité était leur préférée lorsqu'elle existait.

Versons au passage un pleur sur les "philanthropes" qui, au cours de l'année 2000, proposaient gratuitement un certain nombre d'heures de connexion, communications téléphoniques comprises (de 4 à 18 heures mensuelles). Eux aussi ont fini par être rappelé à l'ordre par les dures nécessités économiques.

Si vous avez la chance que ces facilités soient disponibles dans votre environnement immédiat, tout ce que vous devez faire consiste à appeler le câblo-opérateur pour prendre rendez-vous avec un technicien qui se chargera de l'installation. Fini les aléas de la connexion, vous serez connecté en permanence sans bloquer votre ligne téléphonique. Mais, l'abonnement mensuel à payer sera alors plus salé.

Les fournisseurs de contenu

Ils vous proposent une "valeur ajoutée" comme l'accès à des forums privés ou à des bases de données non publiques. C'est le cas, par exemple, de AOL et de Infonie ou, à un moindre degré, de Wanadoo (émanation de France Télécom) ou de Club Internet. Ils vous fournissent toujours un kit de connexion sur CD-ROM mais, sauf pour AOL, rien ne vous oblige à l'utiliser. Tous proposent maintenant en plus de leurs services personnalisés un accès plus ou moins banalisé à l'Internet.

Voici quelques-uns des bons côtés de ces services en ligne :

✔ Il est assez facile de s'y connecter et de les utiliser.

✔ Ils disent assurer une assistance de qualité à leurs clients, ce que l'expérience (et la consultation du forum `fr.reseaux .internet.fournisseurs`) ne confirme pas toujours.

✔ Ils proposent des écrans d'accueil clinquants exploitant pleinement les possibilités d'une souris.

✔ Ils offrent des services personnalisés d'information, des forums de discussion privés, voire la vente de "produits dérivés".

✔ Certains proposent des moyens d'exercer un contrôle parental sur l'accès à leurs prestations. Mais, nous avons déjà vu au chapitre précédent ce qu'il fallait penser de ces outils logiciels.

Voici maintenant quelques-uns des mauvais côtés de ces services :

✔ Tous ne vous permettent pas d'accéder à chacune des ressources de l'Internet.

✔ Beaucoup filtrent les forums auxquels ils vous permettent d'accéder afin d'éviter toute controverse juridique sur des sujets considérés comme sensibles (pédophilie, racisme, révisionnisme, néonazisme...).

✔ Leur politique de prix est souvent désavantageuse dès que vous dépassez le quota d'heures forfaitaire auquel votre abonnement vous donne droit.

La Figure 4.1 vous montre un écran caractéristique de AOL.

Figure 4.1 :
America
OnLine à
l'affiche.

L'Internet, tout l'Internet, rien que l'Internet...

L'autre type de fournisseur d'accès à considérer est le *fournisseur d'accès à l'Internet* (FAI). Son rôle se limite à la fourniture de la "connectivité" à l'Internet et rien d'autre. Ici, plus d'interface propriétaire, tout est banalisé et vous ne vous apercevez de la différence d'un fournisseur d'accès à un autre que par la qualité de ses prestations, la facilité de s'y connecter, le débit réel de la ligne, la compétence de son assistance, etc.

Lorsque la connexion avec le fournisseur d'accès est établie, votre ordinateur devient partie intégrante de l'Internet. Vous saisissez des informations destinées à des programmes qui tournent sur votre propre machine et ce sont ces programmes qui communiquent avec l'Internet. Ce type d'accès vous permet de profiter de tous les avantages du système d'exploitation de votre ordinateur : affichage graphique, souris, reproduction sonore, etc. Vous pouvez même lancer concurremment plusieurs applications Internet : lire votre courrier électronique, télécharger un fichier, surfer sur le Web...

Autre avantage non négligeable : vous pouvez utiliser n'importe quel programme Internet en plus de ceux que votre fournisseur d'accès vous propose sur son kit de connexion. Vous pouvez télécharger sur l'Internet une nouvelle application et la mettre immédiatement en service. Votre fournisseur d'accès n'agit que comme un conduit de données entre votre ordinateur et le Net.

L'Internet en boîte

Comme nous l'avons mentionné en début de chapitre, ce type d'accès n'a pas (encore ?) rencontré la même faveur chez nous qu'aux Etats-Unis, principalement en raison du prix irréaliste auquel il est proposé par rapport à celui d'un ordinateur de base. En outre, comme c'est votre téléviseur qui sert d'écran, préparez-vous à des problèmes familiaux lorsqu'un des membres de la famille préférera, par exemple, regarder le match de foot transmis par TF1 plutôt que de vous laisser consulter votre boîte aux lettres électronique.

Accès rapides et accès moins rapides

Si vous êtes de ceux qui veulent sans cesse être à la pointe du progrès, vous allez vouloir la connexion Internet la plus rapide afin de pouvoir vous amuser avec toutes ces fantaisies ludiques telles que les animations ou la radio (et même la télévision) par l'Internet. Mais cela implique la transmission de grandes quantités d'informations qui dépassent les possibilités réalistes des connexions par le réseau téléphonique commuté ordinaire. Les connexions à haute vitesse (à *haut débit*) vous procurent une *bande passante* supérieure, vous permettant de transférer dans le même intervalle de temps une quantité d'informations plus élevée.

Connexion par câble

Les abonnés à un réseau de télévision non hertzien (c'est-à-dire n'utilisant ni antenne ni parabole) bénéficient d'un accès Internet à un tarif privilégié. Ce type de service n'est encore disponible que dans les grandes villes.

Il faut savoir que vous perdez alors la possibilité de choisir votre fournisseur d'accès puisque ce sera toujours celui qui vous loue l'arrivée du câble. Or, on sait qu'une position de monopole n'incite pas un fournisseur à faire preuve de zèle dans la qualité de ses prestations, quelles qu'elles soient.

La tarification appliquée est encore fluctuante et une tendance apparaît à limiter la quantité d'informations remontantes (c'est-à-dire depuis chez vous vers l'Internet) à une valeur assez basse en facturant (à un prix assez élevé) tout dépassement.

Jusqu'à présent, c'était surtout Noos qui, par l'intermédiaire de sa filiale Cybercâble, fournissait les équipements nécessaires. L'abonnement à l'Internet coûte 89 francs par mois auxquels on doit ajouter la location du modem spécial à 45 francs par mois (les 12 premiers mois étant gratuits). Les frais d'installation varient entre 700 et 950 francs. Pour en savoir plus, consultez la page Web `www.noos.com`.

De son côté, France Télécom propose son service Câble Wanadoo. L'abonnement coûte 193 francs par mois, auxquels vous devez ajouter la location du modem câble qui s'élève à 89 francs. Pour les personnes non raccordées au réseau câblé de France Télécom Câble, l'accès au réseau coûte 35 francs de plus par mois. Les frais d'installation sont de 340 francs pour les utilisateurs déjà câblés et de 540 francs pour les autres. Pour tout renseignement sur la disponibilité de ce service, adressez-vous à votre agence France Télécom ou consultez la page Web `www.cablewanadoo.com`.

Numéris

Depuis quelques années, France Télécom a mis en service un réseau téléphonique à haut débit appelé Numéris qui n'a pas rencontré un accueil enthousiaste, en partie à cause de tarifs excessifs. Alors que le réseau téléphonique ordinaire fonctionne en mode analogique, le RNIS (Numéris) est un réseau sur lequel les informations circulent sous forme numérique (d'où son nom). A ce titre, il offre des performances très supérieures. L'abonnement de base comprend deux voies numériques rapides à 64 Kbps et deux canaux téléphoniques ordinaires. Le coût de l'abonnement est à peu près le double de celui pratiqué pour une ligne ordinaire, et il faut compter, en plus, des frais d'installation d'environ 800 francs. Une formule simplifiée (un seul canal rapide) est proposée sous le nom de Itoo.

L'ADSL

L'ADSL *(Asymetric Digital Subscriber Line)* est une technique qui permet de faire passer simultanément des données et de la voix sur une ligne téléphonique en mode haut débit pouvant atteindre, dans le meilleur des cas, 8 Mbps dans un seul sens (fournisseur d'accès vers abonné) au moyen d'une ligne téléphonique ordinaire. De plus, votre ligne téléphonique reste disponible lorsque vous êtes sur le Net.

En France, jusqu'à fin 2000, c'était France Télécom qui détenait le monopole de l'installation dans les zones couvertes. Au 1er avril 2001, les frais de mise en service d'une connexion ADSL par France Télécom s'élèvent à 768,57 francs. Le coût de l'abonnement à Netissimo 1 (pour les particuliers) est de 262,80 francs par mois auquel il faut ajouter la location du modem ADSL (44,62 francs)[1]. C'est seulement après avoir ouvert une ligne Netissimo auprès de France Télécom que l'utilisateur peut choisir un fournisseur d'accès. D'autres fournisseurs d'accès proposent également des forfaits ADSL. Citons Club-Internet (`www.club-internet.fr`), Easynet (`www.easynetfrance.fr`) et World Online (`www.worldonline.fr`). Le coût mensuel moyen d'une connexion ADSL (frais France Télécom + frais d'abonnement au fournisseur d'accès) est de l'ordre de 400 francs par mois. Le débit maximal utile est limité à 512 Kbps dans le sens descendant et 128 Kbps dans l'autre sens. L'ADSL est en cours de déploiement dans les principales villes de France et leur environnement. Pour connaître les zones de couverture, consultez le site de Netissimo à l'adresse `www.netissimo.tm.fr`. Mieux encore, appelez le 10 14 (communication gratuite).

Mangoosta (`www.mangoosta.net`) est venu bouleverser ce paysage en offrant un accès Internet ADSL en partenariat avec Yahoo! sans que l'utilisateur final ait besoin de passer par France Télécom. Ici aussi, deux offres sont proposées dont les coûts sont moindres (l'équivalent de l'offre Netissimo plus FAI de 430 francs revient à 330 francs chez Mangoosta). L'installation, elle aussi, est plus économique (500 francs contre plus de 700 chez France Télécom).

Dans tous les cas, il faut compter un minimum de trois semaines entre la demande d'une installation ADSL et sa réalisation effective.

Le site de l'ADSL-Forum (`www.ADSL.com`), organisation professionnelle rassemblant les industriels concernés par l'ADSL, est très riche en informations sur les développements en cours, les perspectives de marché, etc.

[1.] On peut aussi acheter son modem en déboursant environ 1 980 francs.

Le choix d'un fournisseur d'accès

Si vous optez pour une connexion de type classique avec modem (la plus simple et la plus répandue actuellement), reste à choisir votre fournisseur d'accès. On en dénombre actuellement un peu moins de 200 en France dont une vingtaine sont d'envergure réellement nationale et ont une assise financière suffisamment solide pour qu'on puisse espérer les voir continuer leur activité. Il n'est plus nécessaire de choisir un fournisseur situé dans la même circonscription téléphonique que vous puisque la plupart d'entre eux proposent des accès de type "kiosque", dont la tarification est indépendante de la distance (numéros en 08.60...).

D'autres points sont à prendre en considération :

- ✔ **La qualité de l'assistance client.** Vous ne pourrez l'apprécier qu'à l'usage. Aussi, mieux vaut vous renseigner auprès d'autres clients ou sur le forum `fr.reseaux.internet.fournis-seurs`.

- ✔ **Le débit maximal descendant (vers vous).** Certains fournisseurs n'ont pas augmenté leur configuration et, de ce fait, le débit réel qu'ils peuvent fournir est inférieur au début théorique maximal possible.

Où trouver un fournisseur d'accès ?

Plusieurs solutions s'offrent à vous pour trouver un fournisseur d'accès. La meilleure et la plus simple consiste à consulter les magazines d'informatique, notamment ceux spécialisés dans l'Internet : *Netsurf* ou *.Net*, par exemple. Si certains de vos amis sont déjà connectés, demandez-leur quel fournisseur d'accès ils utilisent et s'ils en sont satisfaits. Enfin, consultez la page Web `www.lesproviders.com`.

La souscription d'un abonnement

Certains fournisseurs d'accès ou fournisseurs de contenu ont un numéro de téléphone que vous pouvez appeler pour avoir des précisions sur leur offre. Si les précisions qui vous seront fournies sont presque toujours exactes sur le plan commercial, il est loin d'en être de même sur le plan technique. Renseignez-vous, par exemple, sur le contenu du kit de connexion qui vous sera fourni. Si les réponses que vous obtenez ne vous paraissent pas convaincantes ou que votre interlocuteur semble avoir d'autres choses plus importantes à faire qu'à vous renseigner, essayez un autre fournisseur.

Mieux encore – si vous en avez la possibilité –, allez consulter le site Web de ces fournisseurs (adresses dans les revues d'informatique citées plus haut) chez un ami ou depuis un cybercafé.

Le mode de paiement qui vous sera proposé sera le plus souvent le prélèvement automatique ou la carte de crédit. Selon les fournisseurs d'accès, il peut s'agir d'un paiement d'avance ou d'un paiement à la fin de chaque mois (tous les deux mois chez Club Internet).

Revenons aux logiciels

Type d'accès et logiciels à utiliser vont de pair.

- **Fournisseurs d'accès commerciaux.** Presque tous les fournisseurs d'accès commerciaux (AOL, Wanadoo, Infonie, Club Internet, etc.) vous procurent un kit de connexion sur CD-ROM contenant parfois leur interface et toujours les programmes de base nécessaires pour exploiter le courrier électronique et le Web.

- **Accès à haut débit.** Pour un accès Numéris, vous utiliserez les mêmes logiciels généraux que pour une connexion RTC (voir le Chapitre 5). Pour un accès ADSL, vous devrez utiliser des logiciels spécifiques qui vous seront fournis par votre câblo-opérateur.

Chapitre 5

A vos marques...
Prêt... Connexion !

. . . .

Dans ce chapitre :

▶ L'accès via un modem et un fournisseur.

▶ Comment se connecter.

▶ D'où viennent tous ces logiciels ?

▶ Préparez-vous à héberger ces logiciels.

▶ Connexions en tous genres.

. . . .

Dans ce chapitre, nous allons vous expliquer comment réaliser votre connexion en nous penchant plus particulièrement sur l'accès le plus répandu chez les particuliers, à savoir la connexion RTC (réseau téléphonique commuté). Vous allez y trouver les instructions nécessaires en fonction pour configurer votre connexion sous Windows 32 bits ou Mac.

L'accès par modem

Lorsque, après avoir composé le numéro de votre fournisseur d'accès, votre ordinateur a établi le contact, il devient membre du Net comme un élément à part entière. Nous compléterons le tableau en vous expliquant comment procéder si vous optez pour AOL.

C'est vous qui fournissez les programmes

Pour utiliser votre compte Internet, vous avez besoin de deux types de programmes :

✔ **Un programme servant à vous connecter à votre fournisseur d'accès.** C'est ce qu'on appelle la *couche TCP/IP* que Microsoft nomme *accès réseau à distance*. Sur un Macintosh, ça s'appelle MacTCP.

✔ **Des programmes servant à accéder aux services de l'Internet.** Ce sont ces logiciels qui vont vous ouvrir les portes du courrier électronique, du Web et de toutes les informations disponibles sur le Net. On les appelle généralement *programmes client* parce qu'ils constituent l'autre pôle de la paire client/serveur. Une partie du travail est exécutée sur votre ordinateur ; l'autre partie, l'est par les *programmes serveur* exécutés sur les autres ordinateurs de l'Internet auquel vous vous connectez. Pour envoyer et recevoir du courrier électronique, il vous faut un *logiciel de messagerie* (on dit aussi un *mailer*) et pour surfer sur le Web, un *navigateur*.

Quand vous vous abonnez à un fournisseur d'accès, il vous procure généralement un kit de connexion contenant entre autres les programmes clients dont vous avez besoin. Malheureusement, ceux-ci ne sont pas toujours les toutes dernières versions.

Par ici les bons programmes

Voici quelques-uns des programmes les plus réputés qui existent pour Windows 32 bits et Macintosh :

✔ **Netscape Navigator ou Internet Explorer.** Ce sont les deux navigateurs utilisés par les neuf dixièmes des surfeurs du Web. Nous verrons aux Chapitres 6 et 7 comment les utiliser.

✔ **RealAudio et ShockWave.** Ce sont des *compléments* venant à l'appui de Netscape Navigator ou d'Internet Explorer pour certains types de fichiers. Ils ne sont nullement indispensables. On les appelle des *plug-ins* et nous les étudierons au Chapitre 7.

✔ **Eudora, Netscape Messenger ou Outlook Express.** Eudora est notre mailer préféré. Netscape Messenger et Outlook Express sont d'autres bons programmes de messagerie, disponibles tous deux gratuitement. (Les Chapitres 11 et 12 vous expliquent comment les utiliser.)

✔ **Outlook Express (Windows) et Newswatcher (pour Macintosh)** permettent d'explorer les forums de discussion de Usenet (les *news*).

✔ **mIRC (pour Windows) et Ircle (pour Macintosh)** vous donnent accès à des "salons de conversation". C'est ce qu'on appelle l'IRC (Internet Relay Chat). Nous en reparlerons au Chapitre 15.

D'où viennent tous ces logiciels ?

Il existe de nombreuses sources où on peut se procurer les logiciels de connexion nécessaires. Citons :

✔ **Votre propre système d'exploitation.** Windows 32 bits contient nativement tout ce qui est nécessaire à l'établissement d'une connexion Internet. Les plus récentes versions de MacOS également.

✔ **Votre fournisseur d'accès.** Normalement, c'est à lui de vous donner votre dotation de base au moment où vous souscrivez votre abonnement. Dans ce cas, si vous voulez que tout se passe bien, utilisez ce qu'il vous a donné, quitte, plus tard, quand vous serez davantage aguerri, à utiliser d'autres logiciels. N'oubliez pas que s'il s'agit de shareware ; vous avez l'obligation morale de régulariser votre situation auprès de l'auteur en lui versant la modeste contribution qu'il demande.

✔ **Un ami obligeant pouvant les télécharger à votre place.** Touché par votre détresse, il vous a recopié ceux qu'il possède ou les a téléchargé à partir du Net. A condition qu'il possède un graveur de CD, bien sûr, car la taille de ces logiciels demanderait bien trop de disquettes.

Comment vous connecter

On croit généralement que l'accès réseau à distance est délicat à paramétrer, aussi – tout au moins la première fois – il peut être utile d'utiliser le kit de connexion remis par votre fournisseur d'accès. En fait, il y a moins d'une dizaine d'adresses à connaître, les unes numériques, les autres ressemblant à des adresses e-mail ; ce qui n'est pas la mer à boire.

C'est lors de l'installation de votre connexion que vous pourrez apprécier la qualité de l'assistance technique apportée par votre fournisseur d'accès. Ou que vous déciderez à changer de fournisseur ! Si vous pouvez convaincre un de vos amis ou parents de vous aider dans cette entreprise, ce sera pain bénit. Choisissez-le dans la tranche 12-16 ans : à cet âge, ils sont souvent très astucieux et ne manquent pas (trop) de patience.

Les grandes lignes

Connecter un PC au Net sous Windows est chose simple, une fois que vous aurez souscrit un abonnement auprès d'un fournisseur d'accès "ordinaire". (C'est-à-dire qui n'utilise que des logiciels standards.) S'il est consciencieux et compétent, il aura préconfiguré son logiciel ou bien il vous aura fourni, sous forme de petit livret, toutes les instructions nécessaires. Suivez ces instructions à la lettre et tout ira bien. Dans le cas contraire, jetez un coup d'œil sur la section qui suit.

Très peu de technique

Votre programme de connexion a besoin d'un certain nombre d'informations techniques simples. En principe, une fois la connexion paramétrée, vous ne devriez plus avoir besoin de les manipuler explicitement. Les seules qu'il soit réellement indispensable de connaître sont rassemblées dans le Tableau 5.1

Tableau 5.1 : Informations concernant votre connexion.

Information	Description	Exemple
Nom de domaine	C'est le nom de domaine de votre fournisseur d'accès. Il ressemble à une partie d'adresse *e-mail* et se termine presque toujours par .fr (pour la France) ou .com.	`wanadoo.fr`
Port de communication	C'est le numéro du port série de votre ordinateur auquel est raccordé votre modem, le plus souvent COM1 ou COM2. (Utilisateurs de Macintosh, vous n'avez que faire de cette information.) Même si vous utilisez un modem interne, vous devez savoir sur quel port il est connecté.	COM1
Numéro d'appel	C'est le numéro de téléphone que devra composer votre modem pour établir la connexion avec votre fournisseur d'accès. Si vous êtes un particulier, vous accédez directement au réseau téléphonique, mais si vous êtes dans une entreprise, vous devez probablement composer un préfixe spécial pour "sortir". Le mieux est alors de demander une ligne directe pour vous débarrasser de cette contingence.	08 60 77 88 99
Nom d'utilisateur	Le nom que vous a attribué votre fournisseur d'accès ou que, dans sa grande bonté, il vous a laissé choisir.	jdupont
Mot de passe	Le mot de passe que vous a attribué votre fournisseur d'accès ou que, peut-être, il vous a permis de choisir.	3ab81x

Tableau 5.1 : Informations concernant votre connexion (suite).

Information	Description	Exemple
Adresses DNS du serveur	Ce sont les *adresses IP*, c'est-à-dire un groupe de quatre nombres séparés par des points qui représentent l'adresse principale de la machine de votre fournisseur d'accès et son adresse secondaire vues de l'Internet. Il y a une correspondance dans les deux sens entre adresse IP et adresse de machine. Par exemple, net.gurus.net et 208.31.42.79, c'est bonnet blanc et blanc bonnet.	123.45.67.89

Connexions en tous genres

Les sections qui suivent présentent les différents modes de connexion en fonction du système que vous utilisez : Windows 32 bits ou Mac.

Connexion version Windows 32 bits

Windows 32 bits vous propose des programmes d'inscription automatique auprès de plusieurs fournisseurs de contenu (généralement France Télécom, America OnLine, CompuServe et The Microsoft Network). Le mieux que nous puissions vous dire, c'est de les ignorer car il s'agit de logiciels anciens datant du moment où le CD-ROM de Windows a été fabriqué et ils risquent fort d'être légèrement périmés.

Pour vous abonner au fournisseur d'accès que vous avez choisi, dans l'hypothèse (improbable) où il ne vous aurait pas fourni de kit de connexion sur CD-ROM, lancez l'assistant de connexion Internet pour configurer l'accès réseau à distance avec les informations personnalisées concernant votre fournisseur d'accès. Comme son emplacement a varié selon les versions successives de Windows, commencez par le rechercher et, pour cela, cliquez avec le bouton droit de la souris sur le bouton Démarrer, puis sur la rubrique Rechercher. Dans la boîte de saisie Nommé, tapez Assistant puis cliquez sur le bouton Rechercher maintenant. Vous allez voir s'afficher quelque chose ressemblant à ce qui est reproduit sur la Figure 5.1. Double-cliquez alors sur Assistant de connexion Internet, ce qui devrait afficher une fenêtre ressemblant plus ou moins à celle de la Figure 5.2.

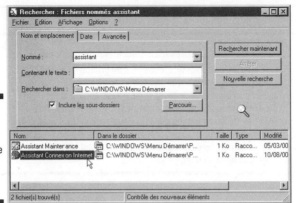

Figure 5.1 :
Comment
trouver
l'Assistant de
connexion
Internet de
Windows.

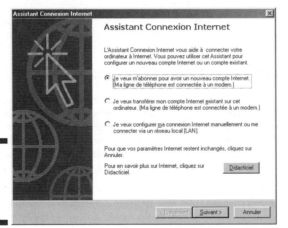

Figure 5.2 :
Windows
vous aide à
vous
connecter.

Parcourez alors les étapes suivantes :

1. Cliquez sur le troisième bouton pour configurer le compte que vous avez souscrit auprès de votre fournisseur d'accès sur cet ordinateur. (Dans tous les cas, ignorez les deux autres.)

2. Dans la première boîte de dialogue, cliquez sur le bouton radio en face de "en utilisant ma ligne téléphonique et un modem". Cliquez ensuite sur Suivant.

3. Dans la boîte de dialogue suivante, indiquez le numéro d'appel que vous a indiqué votre fournisseur d'accès en plaçant le préfixe (généralement 08) dans la boîte de saisie Indicatif régional et les huit autres chiffres dans Numéro de téléphone. Cliquez ensuite sur Suivant.

4. Dans la boîte de dialogue suivante, indiquez le nom d'utilisateur et le mot de passe qui vous ont été attribués par votre fournisseur d'accès. Cliquez ensuite sur Suivant.

5. Vous allez maintenant donner un nom à votre connexion. N'importe lequel, c'est simplement pour vous repérer. Le plus simple est sans doute de lui donner le nom de votre fournisseur d'accès : Wanadoo, Club Internet, Infonie... Cliquez ensuite sur Suivant.

6. La boîte de dialogue qui s'affiche vous propose de configurer votre compte de messagerie. Refusez en cliquant sur le bouton radio en face de Non. Cliquez ensuite sur Suivant.

7. Dans la dernière boîte de dialogue, supprimez la coche placée devant Se connecter immédiatement et cliquez sur le bouton Terminer.

Mais ce n'est pas tout. Pour placer l'icône de cette connexion sur votre bureau (là où elle sera plus facile à atteindre), vous devez maintenant exécuter les étapes suivantes :

1. Double-cliquez sur l'icône du Poste de travail puis sur l'icône de l'Accès réseau à distance. Vous allez voir s'afficher deux icônes : une est marquée Nouvelle connexion ; l'autre porte le nom que vous lui avez attribué à l'étape 5 précédente.

2. Cliquez avec le bouton droit de la souris sur cette icône puis sur la rubrique Créer un raccourci.

3. Dans la boîte de dialogue qui apparaît, cliquez sur Oui.

Connexion version Macintosh

Adorateurs de la pomme, arrêtez-vous ici ! Vous avez déjà presque tout ce qui vous est nécessaire si vous utilisez le Système 8 ou le Système 9 qui sont livrés avec MacTCP. Si ce n'est pas votre cas, c'est l'occasion de procéder à une mise à jour. N'oubliez pas qu'il vous faudra aussi un programme de gestion du modem pouvant fonctionner sous Mac TCP/IP comme FreePPP, MacPPP ou InterSlip que votre fournisseur d'accès devrait être capable de vous fournir. En cas de difficultés de ce côté, mieux vaut chercher un autre fournisseur d'accès. La plupart des nouveaux Macintosh sont livrés avec tout le logiciel de connexion préinstallé.

Connexion version AOL

America OnLine (AOL pour les intimes) est le service en ligne qui possède le plus d'abonnés dans le monde. Il vous permet d'accéder non seulement à ses propres services mais aussi à toutes les ressources de l'Internet. Il compte actuellement un peu moins de trente millions d'abonnés et ne cesse de grandir. Pour vous connecter à AOL, vous devez utiliser le CD-ROM que vous trouverez régulièrement dans de nombreuses revues d'informatique pas nécessairement consacrées au seul Internet. Ces versions conviennent aux diverses moutures de Windows et au Mac. Rien ne vous empêchera d'utiliser en plus d'autres logiciels, tels que Netscape Navigator ou Internet Explorer, pour surfer sur le Web.

Dans ce chapitre, nous allons parler de la version 5.0 du logiciel AOL. Puisque les mises à jour sont fréquentes, il est possible que ce que vous verrez sur votre écran diffère de ce qui est reproduit ici.

AOL : les pour et les contre

AOL semble plus facile à utiliser que la plupart des autres services en ligne. On y trouve en outre de nombreux groupes de discussion et des informations qui ne sont accessibles qu'aux seuls abonnés. Autre avantage : les mises à jour s'effectuent automatiquement, au moment d'une connexion, sans que le temps qui y est consacré vous soit imputé.

En terme de tarification, AOL offre actuellement plusieurs formules d'abonnement forfaitaire (communications téléphoniques comprises) allant de 35 francs par mois pour 2 heures de connexion jusqu'à 99 francs pour 50 heures mensuelles, à condition de vous engager sur deux ans (sinon, c'est 155 francs pour 50 heures).

Quelques inconvénients majeurs toutefois : contacter l'assistance technique peut être un véritable parcours du combattant. En outre, il semble que les membres de AOL reçoivent plus de courrier "poubelle" (ce qu'on appelle le *SPAM*) que les autres internautes, malgré tous les efforts fournis par les techniciens pour intercepter et supprimer ces messages (en fait, ils y travaillent si dur que certains messages des listes de diffusion peuvent parfois disparaître aussi). Enfin, en France, le numéro d'accès national proposé est très chargé, et il est parfois difficile de s'y connecter aux heures "normales". Tout se passe bien, en revanche, entre 2 heures et 8 heures du matin. L'avenir appartient à ceux qui se lèvent tôt !

Souscrire un abonnement

Une fois en possession du kit de connexion que AOL distribue avec une très grande générosité (et que vous pourrez éventuellement obtenir en appelant le 01 71 71 71 71), introduisez-le dans votre lecteur de CD-ROM. En général, le programme se lancera de lui-même.

Le programme d'installation crée une jolie petite icône triangulaire intitulée AOL. En cas de problème, vous pouvez téléphoner à l'assistance technique de AOL au 01 71 71 71 71, 7 jours sur 7 de 8 heures à minuit.

Procédure d'abonnement en ligne

Une fois le logiciel de connexion installé, vous devez procéder à votre inscription en ligne au cours de laquelle vous choisirez votre pseudonyme et le mot de passe que vous comptez employer lors de vos connexions. Vous devrez aussi indiquer votre numéro de carte de crédit pour la facturation des heures que vous utiliserez après votre essai gratuit.

Voici les étapes que vous devrez parcourir :

1. **Double-cliquez sur l'icône AOL pour lancer le programme.**

2. **Suivez les instructions qui apparaissent à l'écran.**

3. **Choisissez votre pseudonyme ainsi qu'un mot de passe.**

   Ce nom peut avoir jusqu'à 16 caractères et contenir des espaces. Vous pouvez y mélanger minuscules et majuscules : par exemple Jules Dupont ou Concombre007. Le nom que vous aurez choisi sera comparé aux noms des autres utilisateurs et, en cas de doublon, il vous sera demandé d'en choisir un autre. Si le nom que vous aviez choisi comportait moins de 16 caractères, essayez d'y ajouter un ou plusieurs chiffres à la fin pour le différencier de ceux qui existent déjà (toto pourra ainsi devenir toto31415).

4. **Indiquez votre numéro de carte de crédit et sa date d'expiration.**

   Une fois cela terminé, vous verrez s'afficher l'écran de connexion dans la fenêtre AOL, comme illustré sur la Figure 5.3. La fête peut commencer !

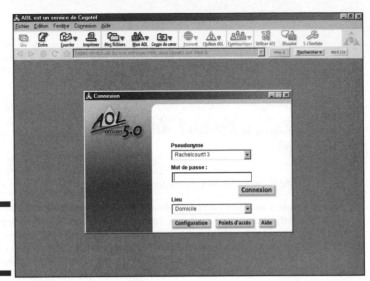

Figure 5.3 :
AOL et sa
fenêtre de
connexion.

Vous pourrez toujours modifier plus tard votre mot de passe et votre nom d'utilisateur.

America me voilà !

Pour vous connecter à AOL, vous devez taper votre mot de passe, qui va s'afficher sous forme d'astérisques, et cliquer sur le bouton Connexion. Une fenêtre apparaît alors indiquant les différentes étapes de la connexion, la progression étant symbolisée par la propagation de l'éclair de la gauche vers la droite.

Une fois la connexion établie, une fenêtre de bienvenue apparaît, comportant sur la gauche une liste des rubriques auxquelles vous pouvez accéder. Cliquez simplement sur celle qui vous semble intéressante pour y accéder aussitôt. Si vous avez reçu un ou plusieurs messages électroniques *(e-mail)*, une indication, dans le coin inférieur gauche, vous en informe.

Si votre PC est équipé d'une carte audio, ne vous étonnez pas d'entendre une (charmante) voix féminine vous saluer au début, vous dire "Vous avez du courrier" ou encore "A bientôt !" lorsque vous vous déconnectez. A d'autres occasions, vous pourrez aussi l'entendre vous prodiguer ses recommandations.

Je veux m'en aller !

Pour mettre fin à la connexion avec AOL, le plus simple est de cliquer sur le menu Déconnexion puis sur la commande du même nom. C'est à ce moment que d'éventuelles mises à jour pourront être téléchargées sur votre machine.

Le bon choix d'un mot de passe

Un mot de passe ne se choisit pas au hasard ; évitez toute formule intelligible telle qu'un nom, un prénom, un mot du dictionnaire, une date connue, le prénom de votre petit(e) ami(e) ou celui de votre chien. Choisissez plutôt quelque chose comme u%L42vwZ et... tâchez de vous en souvenir ! Un bon mot de passe doit être à la fois difficile à deviner et facile à mémoriser ; une bonne idée consiste à inventer une phrase que vous ne pouvez pas oublier, telle que "Maître Corbeau, sur un arbre perché", puis à extraire les premières lettres en ignorant la ponctuation, presque toujours interdite dans un mot de passe. Ici, nous aurions : mcsuap. Quoi qu'il en soit, évitez de l'inscrire sous votre clavier ou dans tout autre endroit facilement accessible, à moins que vous ne soyez certain d'être le seul à utiliser votre machine.

Comment sortir de la toile

Lorsque vous serez sur le Net, après avoir bien surfé, vous aurez envie d'en sortir. Couper le courant de l'ordinateur est une méthode efficace mais que nous ne pouvons décemment vous recommander. Il existe des façons plus... douces de procéder.

Voici deux des possibilités les plus courantes :

- ✔ Cliquez sur le bouton Déconnecter du logiciel d'accès que vous utilisez. S'il y en a un !

- ✔ Si vous utilisez l'Accès réseau à distance de Windows 32 bits, double-cliquez sur la petite icône qui est venue se loger dans le coin inférieur droit de la barre des tâches puis cliquez sur l'option Déconnecter dans le menu qui apparaît.

Troisième partie
Webmania

Dans cette partie...

Aucun doute sur ce point : le Web est l'endroit le plus populaire de l'Internet. Il a d'ailleurs pris un tel essor ces dernières années que le grand public a tendance à l'assimiler à l'Internet. Dans cette partie, nous allons vous expliquer ce qu'est exactement le Web et comment en tirer parti. Nous vous donnerons également de bonnes astuces pour trouver plus facilement ce que vous y cherchez. Un chapitre sur le commerce électronique vous apprendra tout ce qu'il faut savoir pour dépenser en toute confiance vos sous en ligne. Enfin, un chapitre sur l'écriture de votre propre page Web vous permettra, à vous aussi, d'être présent sur le Web.

Chapitre 6

Le monde merveilleux et farfelu du Web

De nos jours, les gens parlent davantage du *Web* que du *Net* avec une légère tendance à confondre les deux. Cependant, le World Wide Web (que nous appelons familièrement le Web) n'a d'existence réelle qu'en raison de l'Internet qui lui sert de support. L'Internet existait avant le Web, et la disparition de ce dernier ne perturberait en aucune façon l'Internet.

Web et hypertexte

Le Web, c'est une collection de "pages" contenant des informations, reliées *logiquement* les unes aux autres et réparties sur toute la surface du globe. Chaque page peut contenir du texte, des images, des sons, des animations... Ce sont ces liens entre les pages qui rendent le Web si intéressant. On les appelle des *liens hypertextes (hyperlinks)*, et chacun d'eux pointe sur une page différente. Lorsqu'on clique sur un de ces liens, cette page vient s'afficher sur votre écran, quel que soit l'endroit où elle se trouve physiquement. Pour voir ces pages, on se sert d'un programme appelé *navigateur* (traduction de l'anglais : *browser*).

Les liens que peut renfermer chaque page peuvent vous conduire n'importe où presque instantanément. Dans la réalité, toutefois, la vitesse de ce déplacement virtuel dépend d'un tas de facteurs dont nous reparlerons.

D'où vient le Web ?

Le Web a été inventé en 1989 au CERN (Conseil européen pour la recherche nucléaire), à Genève, en Suisse par une équipe dirigée par Tim Berners-Lee, un Anglais, actuellement directeur du consortium W3C (*World Wide Web Consortium*) chargé de l'élaboration des standards du Web et dont l'adresse Internet est www.w3.org.

Tim a créé le protocole HTTP (*HyperText Transfer Protocol*), utilisé pour échanger des informations entre clients et serveurs Web. C'est lui également qui a défini les bases de HTML (*HyperText Markup Language*), qui n'est pas réellement un langage au sens informatique du terme, mais plutôt un ensemble de commandes de description de contenu. Enfin, c'est là aussi qu'a été créée l'URL (*Uniform Resource Locator*), adresse banalisée servant à identifier les ressources accessibles par le Web. Le Web a été conçu comme un moyen universel et simple d'échanger des informations indépendamment des matériels et systèmes d'exploitation utilisés.

C'est ce système de documents pointant les uns vers les autres qu'on appelle *hypertexte*. La Figure 6.1 montre comment se présente une page Web. Chaque mot ou groupe de mots souligné est en réalité un *appel de lien* pointant vers une autre page.

Hypertexte pour "hyper bien organisé"

L'*hypertexte* est un moyen de relier des informations de manière à faciliter leur découverte. Dans les bibliothèques traditionnelles, les informations sont classées de façon arbitraire, souvent par ordre alphabétique d'auteur, parfois par sujet. Ce type de classement ne reflète pas nécessairement l'existence d'un lien logique d'un ouvrage à l'autre. Dans le monde de l'hypertexte, en revanche, les informations sont organisées selon les liens logiques qui existent entre elles, ce qui semble une façon beaucoup plus cohérente de les rassembler.

L'hypertexte permet aussi d'associer les mêmes éléments d'informations de plusieurs façons différentes. Dans une bibliothèque traditionnelle, un livre se trouve sur un seul rayon à la fois. L'hypertexte ne souffre pas de cette limite : un même document peut être référencé à partir de plusieurs autres documents traitant de sujets parfois fort différents, pourvu qu'existe un lien logique entre eux.

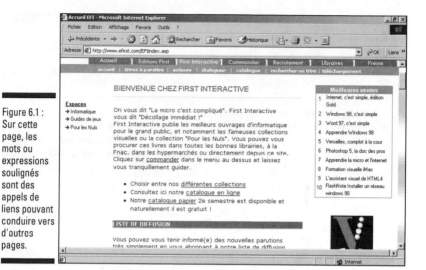

Figure 6.1 :
Sur cette
page, les
mots ou
expressions
soulignés
sont des
appels de
liens pouvant
conduire vers
d'autres
pages.

Un système hypertexte crée les liens nécessaires entre divers éléments d'information afin que vous puissiez y cheminer facilement. Au fur et à mesure que vous établissez ces liens logiques, vous voyez se tisser cette toile d'araignée d'où le Web tire son nom. Ce qu'il y a de remarquable ici, c'est que ces documents ne sont pas nécessairement situés au même endroit, mais qu'ils peuvent fort bien être disséminés un peu partout dans le monde, et que l'ensemble de ces liens est (quasiment) transparent pour vous.

Ces informations peuvent être retrouvées de façon automatisée par des logiciels appelés *moteurs de recherche*, qui vous permettent d'obtenir en quelques secondes toutes les références concernant un argument de recherche formé par l'association de mots-clés.

Le Web et ses adresses

Pour trouver une page particulière sur le Web, il faut connaître son adresse, de la même façon que pour écrire à un de vos amis, vous devez pouvoir le localiser. C'est ici qu'intervient la notion d'URL qui représente un système d'adressage universel permettant une identification unique d'une page donnée. Concrètement, une URL est cet assemblage, à priori hétéroclite, de mots imprononçables commençant par http:// et continuant souvent par www.

Au royaume des URL

Voyons comment se présente une adresse Web ordinaire :

`http://www.monserveur.fr/pub/monfichier.html`

Le préfixe (`http://`) indique le type de ressource auquel on a affaire. `http` signifie *HyperText Transfer Protocol* (protocole de transfert hypertexte) et il désigne le protocole utilisé sur le Web. Attention à ne pas confondre "http", la façon dont les pages sont envoyées sur le Net, avec "html", la façon dont les pages sont codées en interne. Nous verrons au Chapitre 7 ce que représente ce dernier raccourci.

La suite de l'URL dépendra du serveur et du type de ressources. Pour le Web, ce sera en général deux ou trois mots séparés par un point, un slash normal (une barre oblique ordinaire), puis une autre suite de mots séparés par des points et/ou des barres obliques, voire des tirets avec parfois un tilde (~) en tête. Le dernier mot avant le premier slash ("fr", dans notre exemple) désigne généralement, pour les Américains, le type d'organisation qui régit le serveur : `com` (commercial), `edu` (éducation), `mil` (militaire), etc., et, pour le reste de la planète, la nationalité : `fr` (France), `ca`, (Canada), `uk` (Grande-Bretagne), etc. (Depuis peu, devant la prolifération des sites Web, il a été décidé de créer d'autres types de désignation, plus universels.)

Tout ce qui vient ensuite représente un chemin d'accès suivi d'un nom de fichier. Ici, c'est `pub/monfichier.html`, qui désigne le fichier `monfichier.html` situé dans le répertoire `/pub`. Attention, dans une URL, il n'y a pas d'antislash (barre oblique inversée), comme c'est le cas sous Windows. L'extension du nom de fichier sera généralement "html" ou "htm".

Dans une URL, on peut aussi trouver un numéro de *port* précédé du caractère ":" comme dans `www.toto.fr:80/machin.html` mais c'est une survivance qui est de moins en moins utilisée.

Outre `http://`, il existe aussi `ftp://`, `mailto:`, `file:///`, etc. Une URL commençant par `mailto` indique qu'il s'agit d'une ressource de type "courrier électronique". Elle se présente ainsi : `mailto:internet7@gurus.com`.

Une URL dont le préfixe est `ftp://` signale un serveur de fichiers accessible au moyen du protocole FTP (que nous étudierons au Chapitre 16). Exemple : `ftp://ftp.univ.lille-1.fr/pc/coast/wulist.zip`.

Enfin, le préfixe `file:///` désigne un document local, c'est-à-dire situé sur la même machine. Pour y accéder, on ne passe pas par l'Internet.

L'art de naviguer sur le Web

Si vous travaillez sous Windows 32 bits, vous avez déjà un navigateur puisque Internet Explorer, le navigateur de Microsoft, est installé systématiquement en même temps que Windows proprement dit. D'un autre côté, votre fournisseur d'accès vous en a procuré un ou deux avec son kit de connexion. Pour en installer un autre, voyez la section "Comment se procurer et installer Netscape Navigator ou Internet Explorer", plus loin dans ce même chapitre.

Au cours de cet ouvrage, nous étudierons les deux navigateurs qui sont les plus populaires : Netscape Navigator 4.75 et Internet Explorer 5.0. Si leur interface est différente, leur modus operandi est toujours plus ou moins semblable.

Netscape Navigator, Internet Explorer et Opera

Lorsque vous lancez Netscape Navigator (le navigateur de Netscape, entreprise rachetée depuis deux ans par AOL), vous voyez un écran ressemblant à celui que montre la Figure 6.2. Avec Internet Explorer, vous verriez ce qui est reproduit sur la Figure 6.3. La page qui s'affiche au lancement du navigateur dépend de la façon dont ont été définis certains de ses paramètres. Les Européens (et plus particulièrement les Norvégiens) sont très fiers du navigateur Opera, plus léger que ses homologues américains mais moins au fait des derniers gadgets du Web.

La plupart des fournisseurs d'accès modifient la configuration du navigateur qu'ils vous donnent afin que ce soit *leur* page d'accueil qui s'affiche en premier. Dans le cas contraire, c'est la page d'accueil de Netscape ou de Microsoft qui apparaît, selon le navigateur, jusqu'à ce que vous en ayez défini une autre (Edition/Préférences pour Netscape, Outils/Options Internet pour Internet Explorer). Vous pouvez heureusement choisir d'afficher une page blanche.

En haut de l'écran, se trouve une rangée de boutons et une petite boîte de saisie (généralement appelée Adresse) dans laquelle figure l'URL de la page couramment affichée.

Petite exploration

Pour aller d'une page à l'autre sur le Web, il vous suffit de cliquer sur un lien qui vous semble intéressant. A l'écran, ce lien peut apparaître

Figure 6.2 :
Comment
s'affiche une
page Web
avec
Netscape
Navigator.

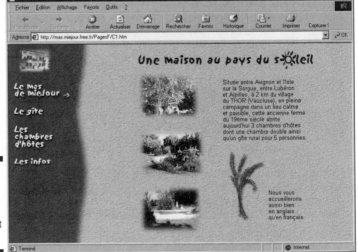

Figure 6.3 :
Comment
s'affiche une
page Web
avec Internet
Explorer.

comme une image, un mot ou une suite de mots affichés d'une autre
couleur que le texte *normal* (en bleu, le plus souvent) et soulignés. Si

vous n'êtes pas certain que ce soit bien un lien, observez le pointeur de la souris : de flèche il se change en main lorsqu'il est placé sur un lien. Si vraiment vous êtes dans le doute, alors cliquez dessus, ça ne va pas vous mordre. Si ce n'est pas un lien, il ne se passera rien et c'est tout le mal que ça risque de vous faire.

Arrière toute !

Un navigateur se souvient du chemin qu'il a parcouru et, en particulier, de la dernière page affichée. Si celle qui vient d'être affichée ne vous plaît pas et que vous souhaitiez revenir à la précédente, cliquez tout simplement sur l'icône la plus à gauche de la rangée supérieure, celle qui porte une flèche tournée vers la gauche. Vous pouvez également taper sur la touche <Flèche vers la gauche> tout en maintenant enfoncée la touche <Alt>.

Sachons lire la carte

Certaines images, telle celle qui est affichée dans la colonne de gauche de la Figure 6.4, ont une curieuse propriété : elles sont sensibles au toucher. On les appelle des *images réactives (image map)*.

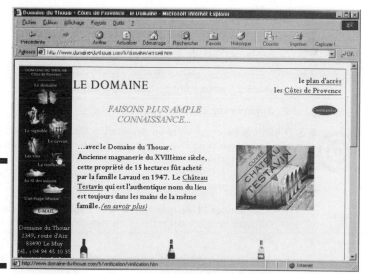

Figure 6.4 :
Page Web
comportant
des images
réactives
pour la
navigation.

Vous pouvez voir sur la Figure 6.4 comment se présente une image réactive découpée en *zones sensibles*. Lorsque vous cliquez sur une de ces zones, c'est comme si vous aviez cliqué sur un lien fait d'une chaîne de caractères : vous voilà transporté sur un autre serveur Web. Ici, ces zones sont comme les éléments d'un sommaire présenté de façon plus agréable sous forme de petites photos retouchées avec un éditeur d'image.

Lorsque le pointeur de la souris est sur un lien (désigné par du texte ou une image réactive), non seulement sa forme change (de flèche, il devient main), mais en même temps, sur la ligne d'état (celle qui est au bas de la fenêtre), vous voyez s'afficher – voir Figure 6.4 – l'URL de la page vers laquelle pointe le lien.

Où aller ?

Le point d'entrée de tout site Web, c'est sa *page d'accueil* : celle par où l'on pénètre dans le site. Au Chapitre 10, nous vous montrerons comment créer votre première page. Presque partout, maintenant, vous voyez s'afficher dans un message, une revue, une page de votre journal, un écran TV de pub... une chaîne de mots abscons, précédés du fatidique **http://** qui signale l'adresse d'une page Web. Si vous souhaitez y accéder, voici comment procéder :

1. **Cliquez dans la boîte de saisie marquée Adresse située en haut de la fenêtre de navigation.**

2. **Saisissez l'URL de la page que vous voulez atteindre.**

   C'est quelque chose comme `http://net.gurus.com`. (En général, il vous suffit de taper `net.gurus.com`.)

3. **Appuyez sur <Entrée>.**

Si l'URL de la page que vous voulez charger figure dans un fichier texte quelconque, vous pouvez la transférer dans la boîte de saisie de votre fenêtre de navigation au moyen d'un classique couper/coller, ce qui vous évite de la retaper avec les risques d'erreur que cela implique. Voici comment procéder sous Windows 32 bits :

1. **Sélectionnez l'URL que vous voulez copier** (en la balayant du pointeur de votre souris, tout en maintenant enfoncée la touche <Maj>).

2. **Appuyez sur <Ctrl>+<C> pour recopier la chaîne de caractères dans le presse-papiers.**

3. **Cliquez dans la boîte de saisie d'adresse du navigateur.**

4. Tapez <Ctrl>+<V> pour coller le contenu du presse-papiers.

La plupart des logiciels de courrier font mieux encore : ils interprètent automatiquement les URL placées dans les e-mails : il suffit de cliquer (ou de double-cliquer) sur une de ces URL pour basculer vers votre navigateur et afficher la page Web correspondante.

Vous pouvez omettre le préfixe http:// devant l'URL lorsque vous la tapez dans la boîte de saisie d'adresse de votre navigateur. Avec Netscape Navigator, vous pouvez même omettre www. et .com. Ce qui donne, par exemple, pour http://www.efirst.com, le raccourci suivant : efirst.

Par où commencer ?

Nous en apprendrons davantage sur l'art de rechercher différents trésors sur le Web mais, pour l'instant, voici un bon moyen d'avoir le pied à l'étrier : allez à la page française de Yahoo!. Cela revient pratiquement à taper www.yahoo.fr dans la boîte de saisie Adresse du navigateur.

Bien que le *nom* de ce moteur de recherche soit Yahoo! avec un point d'exclamation, vous **ne devez pas** faire figurer ce point d'exclamation dans son URL.

Vous êtes aussitôt (enfin presque, car il faut tenir compte de la charge de l'Internet et le temps d'attente peut être très variable selon l'heure de la journée où vous faites l'expérience) transporté sur Yahoo! où se trouve un répertoire contenant des millions d'adresses de pages Web classées par sujet. En regardant çà et là, vous allez bien trouver quelque chose d'intéressant.

Interrompre et reprendre le chargement d'une page

Il est possible d'arrêter le chargement d'une page (en cliquant sur l'icône Stop [ou Arrêter] qui se trouve dans la barre d'outils). Si, ensuite, vous avez un regret et voulez la recharger, cliquez tout simplement sur l'icône prévue à cet effet : Recharger avec Netscape Navigator, Actualiser avec Internet Explorer. Ou encore, avec les deux, appuyez sur les touches <Ctrl>+<R>.

Sortez-moi de là !

Tôt ou tard, il va bien falloir que vous vous arrêtiez de surfer sur le Web, ne serait-ce que pour aller manger ou satisfaire quelque besoin naturel. Vous fermez votre navigateur exactement comme vous quittez tout programme Mac ou Windows : vous choisissez la commande Fichier/Fermer (ou Fichier/Quitter avec Netscape Navigator) ou tapez la combinaison <Alt>+<F4>. Sous Windows 32 bits, vous pouvez également cliquer sur le bouton de fermeture (figurant un X) placé dans le coin supérieur droit de la fenêtre d'affichage.

Attention, cela n'interrompt pas votre connexion à l'Internet. Le compteur de France Télécom continue de tourner !

Comment se procurer et installer Netscape Navigator ou Internet Explorer

Avec un peu de chance, l'un, l'autre ou les deux sont déjà installés sur votre machine. Ils se ressemblent tellement que nous vous suggérons de garder celui qui s'y trouve, quel qu'il soit (pour l'instant, du moins). Si vous voulez en essayer un autre, il va falloir aller à la pêche.

Netscape Navigator existe pour diverses plates-formes, en particulier Windows 32 bits et Macintosh. Sa dernière version porte actuellement le numéro de version 4.75. On y trouve également un logiciel de messagerie (dont nous reparlerons plus loin au Chapitre 11), un éditeur de pages Web, un lecteur de news (forums de Usenet) et divers modules d'extensions multimédias.

Il existe des versions de Internet Explorer non seulement pour Windows mais aussi pour Macintosh et pour certaines plates-formes UNIX.

Même si vous possédez déjà une version de Netscape Navigator ou d'Internet Explorer, il est conseillé de voir s'il n'en existe pas une plus récente qui corrigerait certains bugs des versions précédentes sans en introduire de nouveaux. Un navigateur s'installe comme n'importe quel autre logiciel.

Comment se procurer un navigateur ?

Si vous utilisez Windows 32 bits, vous avez déjà Internet Explorer sur le CD-ROM d'installation de Microsoft. Seulement, c'est certainement une version ancienne. Bien que cela puisse suffire pour démarrer, mieux vaut passer à une version plus récente. A peu de frais, puisque Microsoft (et maintenant Netscape) distribuent leurs navigateurs gratuitement.

Vous pourriez envisager de télécharger directement l'un de ces navigateurs à partir du site de son éditeur. Mais, étant donné le "poids" de ce genre de logiciel (plus d'une dizaine de mégaoctets), nous vous le déconseillons si vous n'avez pas une liaison rapide avec l'Internet (Numéris, câble télé ou ADSL).

Vous trouverez dans presque chaque numéro des revues d'informatique (et surtout dans celles consacrées à l'Internet) un CD-ROM contenant l'un, l'autre ou les deux navigateurs Netscape ou Microsoft. Voire, parfois, Opera.

Il faut maintenant déballer et installer

Une fois que vous êtes en possession du navigateur que vous souhaitez installer, il vous reste à le mettre au travail. C'est très simple car il se présente sous la forme d'un fichier exécutable (.EXE) dont il suffit de lancer l'exécution comme pour n'importe quel logiciel. Par exemple sous Windows, en double-cliquant sur son nom dans l'Explorateur. Tout commentaire serait redondant étant donné la simplicité et la clarté de l'assistant d'installation.

La magie des mises à jour

Netscape et Microsoft déploient toutes les ruses possibles pour que vous ne passiez pas à l'ennemi (entendez : pour que vous ne changiez pas pour un produit concurrent). A cette fin, ils ont tous deux concocté des systèmes de mise à jour automatique facilement accessibles depuis leur navigateur.

Le danger de ces mises à jour automatiques est double : d'abord elles risquent de mobiliser votre machine pendant un temps important en raison de la taille des fichiers à télécharger. Ensuite, vous ne savez pas ce qu'elles contiennent. Il est toujours dangereux de changer son cheval borgne, vu le danger qu'il y a de tomber sur un cheval aveugle !

Pour Netscape Navigator, voyez la rubrique de son site Web intitulée *SmartUpdates* : home.nescape.com/smartupdate/sul_40.html.

Après avoir indiqué votre nom, votre pays et votre adresse électronique, SmartUdpate détecte automatiquement les éléments de Netscape déjà installés sur votre machine, et vous recommande d'installer les éléments manquants ou les dernières nouveautés pour les éléments présents. A vous de choisir les options à télécharger, l'endroit depuis lequel vous pouvez procéder au transfert, puis de donner le feu vert pour l'installation. Cela fait, le programme s'exécute après vous avoir averti du temps probable requis par l'opération. A votre prochaine visite, SmartUpdate se souviendra de vous, ainsi que des éléments déjà installés sur votre ordinateur.

Microsoft a, lui aussi, créé un site de mise à jour pour son produit. Il est accessible à partir du menu Démarrer. Dans la barre des tâches Windows, choisissez Démarrer/Windows Update ou Démarrer/ Paramètres/Windows Update. Comme SmartUpdate, le programme de mise à jour détecte les éléments Internet Explorer installés sur votre machine, vous propose d'en installer de nouveaux, et vous indique les délais de téléchargement. Choisissez un site de téléchargement proche de chez vous et lancez le transfert. (Les programmes de Microsoft étant encore plus gros que ceux de Netscape, les téléchargements pourront donc se révéler très longs.)

A vos risques et périls !

Chapitre 7

A la découverte du Web

Maintenant que vous êtes plus à l'aise sur le Web, nous allons vous montrer quelques fonctionnalités avancées qui vous donneront l'air d'un pro en peu de temps.

Fenêtres sur le monde

Tous les navigateurs Mac ou Windows sont des systèmes multitraitement et, à ce titre, ils peuvent afficher plusieurs pages Web en même temps. Lorsqu'on surfe sur le Web, rien n'empêche d'ouvrir plusieurs fenêtres pour pouvoir retourner rapidement à une précédente page en basculant simplement d'une fenêtre à l'autre.

Le multifenêtrage

Tant Netscape Navigator que Internet Explorer peuvent afficher plusieurs fenêtres à la fois. Afin d'ouvrir un lien dans une nouvelle fenêtre, cliquez avec le bouton droit de la souris sur ce lien pour afficher son menu contextuel et choisissez la rubrique Ouvrir dans une/la nouvelle fenêtre. Pour fermer une fenêtre, cliquez sur sa case de fermeture (figurant une croix) dans le coin supérieur droit de la fenêtre ou appuyez sur <Alt>+<F4>. Comme les souris de Macintosh n'ont pas de bouton droit, vous devez utiliser le seul bouton disponible afin d'afficher un menu dynamique et de sélectionner la commande appropriée. Vous fermez toutes les fenêtres Mac de la même façon, en cliquant sur un bouton en haut de la fenêtre.

Vous pouvez aussi ouvrir une nouvelle fenêtre sans nécessairement suivre un autre lien. Pour cela, sous Windows 32 bits, tapez <Ctrl>+<N>.

Multitâche et téléchargement

Si vous demandez à votre navigateur de télécharger un gros fichier, il affichera généralement une petite fenêtre dans un coin de l'écran. Pendant ce temps-là, vous pouvez revenir à la fenêtre principale de votre navigateur et continuer votre promenade sur le Web.

Faire deux ou trois choses à la fois peut vous faire gagner du temps. Tout dépend, en fait, du débit maximal de votre connexion et de la charge de l'Internet. La vitesse de transfert théorique sera divisée par le nombre de fenêtres de navigateur actives. Un seul transfert de fichier pourrait solliciter pratiquement toute la capacité de votre modem. Mais la charge de l'Internet limitera toujours le taux de transfert réel à une valeur souvent très inférieure.

Si une tâche consiste en un téléchargement de gros fichier et que l'autre est une simple promenade sur le Web, tout se passe généralement bien, parce que vous passez pas mal de temps à contempler la page que vous venez de charger ; ce qui permet au fichier de se transférer tranquillement. Deux transferts de fichiers simultanés utiliseront au mieux la capacité de votre modem puisque, comme nous venons de le dire, ce n'est pas là que se situe le goulet d'étranglement.

Favoris et signets

Il y a sur le Web des sites sur lesquels vous aimerez revenir. Il existe pour cela les *bookmarks*, que tout le monde traduit par *signets*. Sauf

Microsoft qui utilise le mot *favoris*. L'idée est simple : constituer une sorte de "carnet d'adresses" à partir des URL des pages affichées. Plus tard, quand vous voudrez revenir à une de ces pages, vous n'aurez qu'à "feuilleter" ce carnet virtuel et à y rechercher le site qui vous intéresse.

Il y a deux façons d'utiliser les signets. L'une consiste à se les représenter comme les entrées d'un menu qui viendrait s'ajouter aux menus de votre navigateur. L'autre est de les considérer comme une page de liens. Netscape Navigator vous permet de choisir l'une ou l'autre de ces représentations mentales. Internet Explorer en fait un répertoire que vous pouvez consulter.

L'approche de Netscape

Les signets de Netscape Navigator sommeillent derrière le bouton Signets situé à gauche de la boîte de saisie d'adresse, juste au-dessous du bouton Précédent. Pour ajouter un signet correspondant à la page actuellement affichée, cliquez sur Communicator/Signets/Ajouter un signet (ou tapez <Ctrl>+<D>). Les signets se présentent comme des entrées du menu qui apparaît lorsque vous cliquez sur le bouton Signets. Pour atteindre une des pages de la liste, il suffit de cliquer sur l'entrée correspondante.

Votre liste de signets va probablement s'allonger de plus en plus et bientôt votre écran ne sera plus assez grand pour l'afficher en entier. Pour la raccourcir, cliquez sur Communicator/Signets/Modifier des signets ou tapez <Ctrl>+<B> afin d'afficher la fenêtre des signets sous la forme que montre la Figure 7.1.

Vous pouvez atteindre la page que représentent ces signets à l'aide d'un simple clic. Leur fenêtre peut même rester ouverte pendant que vous naviguez sur le Web. Vous pouvez compartimenter la liste par des traits horizontaux et des sous-menus pour mieux vous y retrouver. Dans la fenêtre des signets, ces sous-menus apparaissent comme autant de dossiers.

Pour ajouter un de ces séparateurs, cliquez sur Fichier/Nouveau séparateur dans la fenêtre d'édition des signets. Pour ajouter un nouveau sous-menu, cliquez sur Fichier/Nouveau dossier, dans la même fenêtre. (Vous devrez alors lui donner un nom.) Vous pouvez aussi faire glisser les menus, sous-menus et séparateurs à votre guise pour réorganiser vos signets. Pour déplacer un signet dans un dossier, attrapez-le du bout de votre souris (cliquez dessus) et faites-le glisser dans le dossier (en maintenant le bouton de la souris enfoncé). Cliquez sur le signe + affiché à gauche du nom d'un répertoire pour en

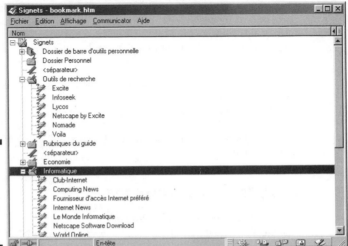

Signets - bookmark.htm

Fichier Edition Affichage Communicator Aide

Nom

Signets
  Dossier de barre d'outils personnelle
  Dossier Personnel
  <séparateur>
  Outils de recherche
    Excite
    Infoseek
    Lycos
    Netscape by Excite
    Nomade
    Voila
  Rubriques du guide
  <séparateur>
  Economie
  Informatique
    Club-Internet
    Computing News
    Fournisseur d'accès Internet préféré
    Internet News
    Le Monde Informatique
    Netscape Software Download
    World Online

En-tête

Figure 7.1 :
Comment se
présente la
fenêtre des
signets avec
Netscape
Navigator.

afficher le contenu. Vous pouvez jongler avec les signets jusqu'à obtenir l'organisation souhaitée. Lorsque vous aurez fini de jouer avec vos signets, cliquez sur Fichier/Fermer ou tapez <Ctrl>+<W> pour refermer la fenêtre.

Pour savoir quels sont les signets dont les URL ont été modifiées depuis la dernière fois que vous avez regardés ces derniers, ouvrez la fenêtre des Signets en procédant comme indiqué plus avant, puis cliquez sur Affichage/Mettre à jour les signets. Une petite boîte de dialogue s'affiche, vous proposant de chercher les documents qui ont été modifiés dans l'une des deux catégories : Tous les signets ou Signets sélectionnés. Après vous être connecté, cliquez alors sur le bouton Commencer la vérification. Une fois que tous les liens ont été explorés, une seconde boîte de message apparaît, vous indiquant quels sont les signets modifiés (leur nom est précédé d'une petite étoile). Un point d'interrogation signifie qu'il y a doute, et rien du tout, qu'il n'y a rien de changé.

L'approche de Microsoft

Internet Explorer utilise une méthode proche de celle de Netscape : vous pouvez enrichir votre liste de "favoris" avec l'URL de la page couramment affichée, puis consulter et réorganiser votre dossier des favoris. Sous Windows, le dossier des favoris est partagé avec d'autres programmes qui peuvent, eux aussi, y ajouter des éléments. C'est pourquoi on peut y trouver un peu n'importe quoi et pas seulement des éléments relatifs au Web.

Pour ajouter la page courante à la liste des favoris, cliquez sur l'entrée Ajouter aux favoris dans le menu Favoris. Pour consulter le dossier des favoris, cliquez sur Favoris/Organiser les favoris. Il existe également, à partir de la version 4.0, un bouton Favoris dans la barre d'outils qui affiche votre liste de favoris à gauche de la fenêtre.

La Figure 7.2 montre comment se présente la liste des favoris depuis la version 5 d'Internet Explorer pour Windows 32 bits. Vous pouvez créer des sous-répertoires pour y ranger différentes catégories de liens en cliquant sur le bouton Créer un dossier. Pour déplacer une entrée, sélectionnez-la en cliquant dessus, puis cliquez sur le bouton Déplacer ou Déplacer vers le dossier. Dans la fenêtre qui s'ouvre, cliquez sur son nouvel emplacement, puis sur le bouton OK. Pour voir le contenu d'un dossier, double-cliquez sur son nom. Une fois que vous aurez fini, cliquez sur le bouton Fermer.

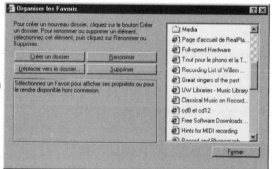

Figure 7.2 : La liste des favoris sous Internet Explorer 5.

Sous Windows 32 bits, le dossier des favoris apparaît dans le menu Démarrer. Cliquez sur Démarrer/Favoris, puis sélectionnez l'élément souhaité dans le menu proposé. Si cet élément est une page Web, votre navigateur est aussitôt lancé et (si votre ordinateur est connecté) charge la page correspondante.

Plus vite encore !

A moins de bénéficier d'une connexion rapide à l'Internet, vous allez passer une grande partie de votre temps à attendre que vos pages se chargent, surtout si elles se situent sur des serveurs américains. Voici quelques astuces pour accélérer les choses.

Au tout début

Lorsque votre navigateur est lancé, il va charger la page d'accueil de son éditeur ou celle de votre fournisseur d'accès si ce dernier a modifié dans ce but le paramétrage du navigateur. Pour supprimer ce chargement inutile, procédez comme suit :

Avec Netscape Navigator :

1. **Dans le menu Options, cliquez sur Edition/Préférences.**

   La fenêtre des préférences s'affiche.

2. **Cliquez sur la catégorie Navigator dans la zone située à gauche de la fenêtre.**

3. **Pour démarrer sur une page blanche, cliquez sur le bouton radio Page vierge.**

4. **Cliquez sur OK.**

Avec Microsoft Internet Explorer :

1. **Dans la barre de menus, cliquez sur Outils/Options Internet.**

3. **Dans la fenêtre qui s'ouvre, cliquez sur l'onglet Général.**

4. **Dans la section Page de démarrage, cliquez sur le bouton Page vierge.**

5. **Cliquez sur OK pour refermer la fenêtre.**

Privez-vous des attraits du Web

Vous pouvez gagner beaucoup de temps lorsque vous surfez sur le Web en refusant de charger les images. Sans doute, constaterez-vous une nette accélération mais ce sera au prix d'au moins deux inconvénients : d'abord le spectacle va perdre de son attrait mais, surtout, vous ne pourrez plus naviguer à l'aide des images réactives. Comme c'est vous qui décidez en dernier ressort, nous vous indiquons néanmoins comment procéder.

Avec Netscape Navigator : Dans le menu Edition, choisissez Préférences, puis la rubrique Avancées et supprimez la coche placée devant Charger les images automatiquement. A la place des images, vous verrez s'afficher une petite icône comportant trois formes géométriques colorées.

Avec Internet Explorer : Cliquez sur Outils/Options Internet et dans le volet Avancées de la fenêtre qui s'affiche, supprimez la coche placée devant l'option Afficher les images (rubrique Multimédia). Cliquez sur OK pour refermer. A l'endroit où serait apparue une image, s'affichera dorénavant une petite icône comportant trois formes géométriques.

Dans les deux cas, si vous voulez quand même voir l'image, cliquez du bouton droit sur cette icône, puis sur la rubrique Afficher l'image du menu contextuel. Cliquez sur OK pour refermer la boîte de dialogue.

Jouez à cache-cache

Lorsque votre navigateur affiche une page, il la sauvegarde sur votre disque dur. Si vous redemandez la même page cinq minutes après, il n'ira pas la recharger depuis le serveur mais la récupérera sur votre disque dur. C'est la raison pour laquelle l'interdiction de chargement des images peut parfois sembler ne pas avoir d'effet : les images ne sont effectivement pas rechargées mais récupérées localement.

Cette zone de disque dur est appelée *cache*. Plus vous lui allouez de place et plus vous pourrez y conserver d'images (et de texte). Voici la marche à suivre pour fixer sa taille :

Avec Netscape Navigator

1. **A partir de la barre de menus, cliquez sur Edition/Préférences.**

   La boîte de dialogue des préférences s'affiche.

2. **Double-cliquez sur la catégorie Avancées, puis sur Cache.**

   Modifiez les valeurs placées devant Cache sur disque (Disk cache) avec la taille maximale du cache exprimée en kilo-octets (Ko). Nous estimons que cette taille ne doit pas être inférieure à 1 Mo (1 024 Ko) ; vous pouvez la fixer à une valeur encore plus élevée si vous avez suffisamment de place sur votre disque dur (par exemple 4 096 Ko, pour 4 Mo), économisant ainsi davantage de rechargements sur le Net.

3. **Cliquez sur OK.**

Avec Internet Explorer

1. **Cliquez sur Outils/Options Internet.**

La boîte de dialogue Options Internet s'affiche.

2. **Cliquez sur l'onglet Général.**

3. **Cliquez sur le bouton Paramètres dans la zone Fichiers Internet temporaires.**

La boîte de dialogue Paramètres, qui contient des informations sur le cache, s'affiche.

4. **Cliquez sur le curseur marqué Espace disque à utiliser et déplacez-le vers la droite pour augmenter la taille du cache.**

5. **Cliquez deux fois sur OK.**

Le problème, avec les caches, c'est qu'on n'est jamais certain que le navigateur affiche bien la dernière version de certaines pages et non pas une version plus ancienne conservée dans le cache. En principe, le navigateur est censé tester la validité des copies situées dans son cache. Mais il n'est pas certain que ce test donne toujours un résultat correct. En cliquant sur le bouton Recharger ou Actualiser, vous aurez davantage de chances de charger réellement une page à partir de son serveur.

Plus grand !

Il est possible d'agrandir la zone de fenêtre réservée à l'affichage des pages Web.

Avec Netscape Navigator. Vous pouvez supprimer les boutons d'accès rapide (la rangée de boutons située juste au-dessus de la page Web), la zone adresse et même la rangée d'icônes. Cliquez sur la petite barre verticale située à l'extrême gauche de la barre que vous voulez voir disparaître. Pour supprimer l'affichage de la barre d'état au bas de la fenêtre, tapez <Ctrl>+<Alt>+<S> ; pareil pour la restaurer.)

Avec Internet Explorer. Le menu Affichage propose sous la rubrique Barre d'outils des options de suppression des différentes barres d'outils ainsi qu'une rubrique permettant de faire disparaître la barre d'état.

Formulaires à remplir

Un *formulaire* du Web ressemble à un formulaire imprimé en ce sens qu'il comporte des champs que vous devez compléter. La Figure 7.3 montre comment se présente un formulaire ordinaire.

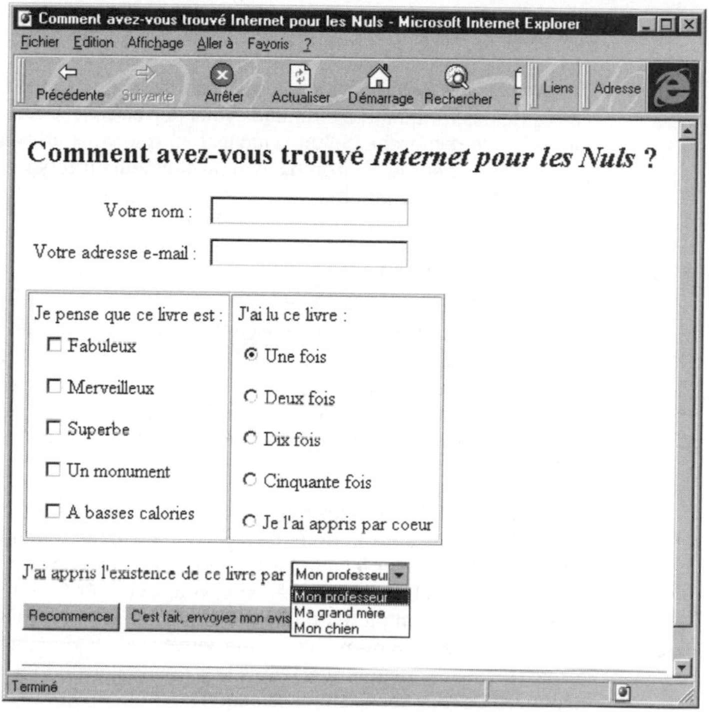

Figure 7.3 :
Exemple de
formulaire
ordinaire.

Les deux boîtes de saisie du haut sont des zones de texte à compléter avec les informations demandées (ici, votre nom et votre adresse *e-mail*). Puis, vous trouvez une zone rectangulaire comportant une colonne de cases à cocher et une colonne de boutons radio. Dans la première, vous devriez trouver une ou plusieurs options qui vous conviennent. Dans la seconde, vous ne pouvez cocher qu'une seule case, car il s'agit de choix mutuellement exclusifs. En dessous, une boîte à liste déroulante vous propose différentes possibilités parmi lesquelles vous pouvez choisir celle qui vous plaît. Généralement, ces boîtes contiennent davantage de choix qu'il ne pourrait en tenir dans l'écran, c'est pourquoi il existe un moyen de les faire défiler (le petit bouton en forme de flèche vers le bas, à droite de la petite zone d'affichage). En général (mais pas toujours), un seul choix est autorisé.

Au bas du formulaire se trouvent deux boutons : celui de gauche (*Reset*, parfois) pour effacer tout et recommencer ; celui de droite (généralement *Submit*) pour envoyer les renseignements que vous venez de fournir au serveur qui en fera ce que l'auteur de la présentation Web a prévu.

Certaines pages Web contiennent des rubriques de recherche qui sont en réalité des formulaires simplifiés vous permettant de saisir des mots-clés de recherche. Selon le navigateur que vous utilisez, vous pouvez cliquer sur le bouton d'envoi ou simplement taper sur <Entrée>.

A garder !

Lorsque vous sauvegardez une page Web, vous pouvez enregistrer soit uniquement le texte, soit la version HTML complète de la page, autrement dit le texte accompagné de ses balises de mise en forme (voir le Chapitre 10 pour en savoir davantage sur HTML). Vous pouvez également sauvegarder les images qui apparaissent dans les pages Web.

Pour recopier le fichier sur votre disque dur, cliquez sur Fichier/ Enregistrer sous. Dans la boîte de sélection de fichier, indiquez le nom que vous allez donner à ce fichier. Parfois, un nom vous est déjà proposé. Dans la boîte de saisie Type, vous avez généralement le choix entre Page Web complète ou HTML (*.htm, *.html) et fichier texte ou texte brut (*.txt). La première option sauvegarde le document sous sa forme originale (document HTML) ; la seconde vous donnera un texte dépourvu de tous ses enrichissements. Pour effectuer la sauvegarde, cliquez sur OK.

Pour sauvegarder une image placée dans une page Web, cliquez avec le bouton droit de la souris sur l'image puis, dans le menu contextuel qui s'affiche, cliquez sur Enregistrer l'image sous. Dans la boîte de dialogue qui s'affiche, sélectionnez le répertoire dans lequel vous voulez placer le fichier de l'image, saisissez un nom de fichier dans la boîte de saisie Nom, puis cliquez sur le bouton OK ou Enregistrer.

Attention au copyright ! Presque tout ce qui est diffusé sur le Net est la propriété de l'auteur. Avant de réutiliser de tels éléments dans vos pages personnelles, le moins que vous puissiez faire est d'en demander l'autorisation au responsable. Si aucune adresse *e-mail* ne figure sur la page (par exemple : `www.mavie.com`), essayez d'envoyer votre message à `webmaster@mavie.com`.

Comment imprimer une page Web

Pour imprimer une page à partir de Netscape Navigator ou Internet Explorer, cliquez sur le bouton d'impression de la barre d'outils ou tapez <Ctrl>+<P>. Vous pouvez également cliquer sur Fichier/Imprimer (ou ce qui y ressemble dans le navigateur que vous utilisez). La mise en forme de la page peut demander un peu de temps.

Si la page que vous souhaitez imprimer requiert des cadres (une technique qui divise la fenêtre en différentes zones indépendantes), cliquez sur la zone de la fenêtre que vous voulez imprimer avant de valider la commande d'impression ; sinon, il y a de fortes chances pour que vous imprimiez uniquement le cadre le plus extérieur, lequel ne contient généralement pas ce qui est le plus intéressant.

Dansez, chantez et causez avec votre navigateur !

Netscape Navigator s'est progressivement enrichi de nouvelles fonctionnalités, les *plugins*. Maintenant, grâce à eux, vous pouvez en ajouter tant et plus. Il s'agit de petits programmes (des *assistants*, en somme) qui viennent suppléer le navigateur pour exécuter certaines fonctions, particulièrement dans le domaine du multimédia.

Chaque nouvelle version d'Internet Explorer s'efforce de rattraper Netscape Navigator dans ce secteur. C'est ainsi que, outre les plugins, Microsoft vous offre les contrôles *ActiveX*.

Les pages Web vous proposent maintenant des images qui chantent et qui dansent ou des messages qui se promènent à travers les pages. Chaque mois ou presque, de nouveaux types d'informations apparaissent sur le Web.

Que peut faire un navigateur avec toutes ces informations ? Les ignorer (ou vous proposer de sauvegarder leurs fichiers sur disque) ou encore télécharger le plugin approprié capable de traiter ce nouveau type d'information et de l'ajouter à ses fonctionnalités.

Au palmarès des plugins

Voici quelques-uns des plugins les plus courants :

- **RealPlayer :** Reproduction de fichiers audio au fur et à mesure de leur téléchargement (d'autres programmes doivent attendre que le fichier audio soit complètement chargé avant de lancer sa reproduction). Vous pouvez télécharger une version gratuite du plugin sur le site www.real.com.

✔ **QuickTime :** Reproduction d'animations permettant de les "jouer" au fur et à mesure de leur chargement (disponible sur www.apple.com/quicktime).

✔ **Shockwave :** Reproduction de sons et d'animations de types divers (disponible sur www.whockwave.com).

Comment utiliser des plugins avec un navigateur

Vous pouvez trouver des plugins pour Netscape Navigator et des contrôles ActiveX pour Internet Explorer aux URL suivantes :

✔ tucows.chez.delsys.fr. TUCOWS (phonétiquement : *two cows*, c'est-à-dire *les deux vaches*) est un important distributeur de sharewares.

✔ cws.internet.com. Consummate WinSock Applications est un autre distributeur de sharewares.

✔ home.netscape.com. Le propre site de Netscape.

Une fois que vous vous êtes procuré un plugin, il faut l'exécuter afin de l'installer. Selon ses fonctionnalités, vous avez différents moyens de le tester – en général, vous trouvez un fichier que ce plugin peut "lire" et vous vous contentez de regarder (ou d'écouter) ce qu'il exécute.

Chapitre 8

Aiguilles et bottes de foin (ou comment chercher sur le Net)

. . . .

Dans ce chapitre :

▶ Stratégies de recherche de base.

▶ Recherches sur le Web.

▶ Outils de recherche natifs.

▶ Recherche d'entreprises.

▶ Recherche de personnes.

▶ Les métamoteurs.

. . . .

*L*e Net offre plusieurs types d'index et de répertoires différents pour répertorier tout ce qui s'y trouve. Malheureusement, dans la mesure où les index tendent à être organisés en fonction du type de service qu'ils procurent et non en fonction de la nature de ce qu'ils référencent, les ressources que vous allez trouver ne seront pas toujours celles que vous espériez. C'est donc à vous de lancer vos recherches selon ce que vous cherchez et la manière dont vous aimez procéder.

Pour structurer cette étude, nous avons défini plusieurs sortes de recherches :

✔ **Thèmes.** Endroits, choses, idées, entreprises – tout ce que vous voulez savoir sur le sujet.

✔ **Recherches intégrées.** Recherches thématiques qu'un navigateur est capable de lancer automatiquement.

✔ **Personnes.** Personnes que vous voudriez contacter ou "espionner".

✔ **Produits et services.** Tout ce que vous pouvez acquérir ou qui vous intéresse, depuis un simple dentifrice jusqu'à un prêt hypothécaire.

Quelle différence y a-t-il entre index et répertoire ?

Quand nous parlons de *répertoire*, ce n'est pas au sens où on l'entend habituellement à propos d'un système d'exploitation, mais plutôt à celui de l'accessoire de bureau qu'on peut assimiler à un carnet d'adresses. Plus précisément, il s'agit d'une liste dont les entrées sont rangées par catégories, partiellement ou totalement, par une main humaine et non par un ordinateur.

D'un autre côté, un *index* est une liste de mots-clés extraits d'articles desquels ont été supprimés tous les *le, la, au, aux,* etc. ; c'est-à-dire tout ce qui n'est pas vraiment significatif. La recherche s'effectue en spécifiant des mots particuliers qui, on espère, s'y trouvent. On peut dire que la table des matières de ce livre est un répertoire alors que son index est... un index !

Chacun de ces deux systèmes présente des avantages et des inconvénients. Les répertoires bénéficient d'une meilleure organisation, mais les index recensent davantage de termes. Les répertoires utilisent une terminologie cohérente, alors que les index utilisent tous les termes, quels qu'ils soient, des pages Web référencées. Les répertoires comportent moins de pages inutiles, mais les index sont plus à jour.

Il y a un certain degré de recoupement entre les deux méthodes ; Yahoo!, par exemple, le répertoire de pages Web bien connu, vous permet d'effectuer des recherches par mot-clé. De nombreux index classent leurs entrées par catégorie vous aidant ainsi à affiner votre recherche.

Pour trouver quelque chose sur un sujet donné, parmi les nombreux index et répertoires disponibles, nous allons utiliser Yahoo! et AltaVista. Afin de rechercher des personnes, nous verrons que le problème est moins simple et les résultats bien plus incertains.

Stratégies de recherche de base

Pour faire une recherche sur le Web concernant un sujet précis, on commence toujours avec un des guides du Web (index et répertoires) que nous allons étudier dans cette section.

Tous s'utilisent à peu près de la même façon :

1. **Lancez votre navigateur et pointez-le sur le répertoire ou l'index que vous préférez.** Nous en donnerons une liste plus loin, dans cette section. Une fois sa page d'accueil chargée, vous avez le choix entre deux approches possibles :

   a. **Si vous voyez une boîte de saisie, tapez-y quelques mots-clés et cliquez sur Search (ou Recherche).** Après un délai plus ou moins long (le Web est immense), une page d'index va vous être renvoyée avec des liens pointant vers les pages qui correspondent à vos critères de recherche.

   b. **Si vous voyez une liste de liens vers différents domaines en rapport avec le sujet de votre recherche, choisissez celui qui, pour vous, s'en rapproche le plus.** Cette recherche par répertoire vous permet de cerner votre sujet. Vous vous en rapprochez de plus en plus au fur et à mesure que vous passez de page en "sous-page" pour aboutir à ce qui présente le plus d'intérêt à vos yeux.

2. **Affinez et répétez votre recherche jusqu'à ce que vous trouviez quelque chose d'intéressant.** De clic en clic, vous finirez par trouver ce que vous recherchez.

Vous avez certainement entendu parler de *moteurs de recherche*. C'est sous ce nom générique qu'on désigne globalement index et répertoires.

Passons à la pratique

Passant de la théorie à la pratique, nous allons maintenant vous montrer comment procéder. Nous utiliserons pour cela nos deux moteurs de recherche favoris : Yahoo! (qui est un répertoire) et AltaVista (qui est un index).

En piste avec Yahoo!

Il existe deux façons de trouver quelque chose avec Yahoo!. La plus simple consiste à aller de catégorie en catégorie jusqu'à trouver son bonheur. Après avoir tapé www.yahoo.fr (URL de l'antenne française de Yahoo!), vous allez voir s'afficher ce qui est reproduit sur la Figure 8.1.

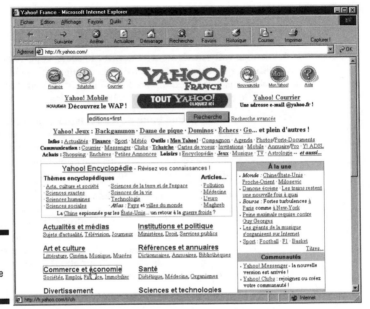

Figure 8.1 :
Page
d'accueil de
Yahoo!.

 En tête de chaque page de Yahoo!, vous trouvez la liste des catégories, sous-catégories et ainsi de suite, menant à la page correspondante. Si vous voulez revenir un ou plusieurs niveaux plus haut et vous diriger vers d'autres sous-catégories, cliquez sur l'une de ces références. Avec un peu de pratique, ces manœuvres de va-et-vient vous paraîtront toutes naturelles. Certaines pages apparaissent à plusieurs endroits dans le répertoire parce qu'elles concernent plusieurs catégories.

Première approche

Pour rechercher une page commerciale, attaquez par la rubrique Commerce et économie. Par exemple, pour consulter le site des éditions First, après avoir cliqué sur Commerce et économie, continuez par Sociétés, puis par Informatique, puis par Livres et vous allez obtenir la page reproduite sur la Figure 8.2.

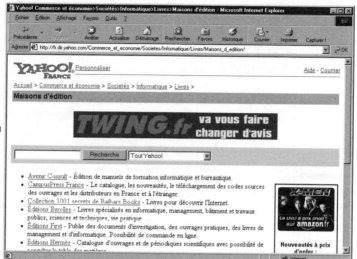

Figure 8.2 :
Liste des
éditeurs
informatiques
en partant de
la rubrique
initiale
Commerce et
économie.

Autres approches

Vous pouvez aussi demander une recherche par mot-clé. Reprenant
l'exemple précédent, nous allons lancer une recherche sur
"editions+first"[1]. Nous obtenons alors immédiatement la page reproduite sur la Figure 8.3.

Si Yahoo! trouve des tonnes de pages, cela signifie qu'il faut resserrer
votre recherche, peut-être en associant plusieurs mots-clés ou critères
de recherche. Pour cela, cliquez sur Recherche avancée, à côté du
bouton Recherche et prenez connaissance des conseils qui s'y
trouvent.

Bien que Yahoo! soit principalement un répertoire de ressources
disponibles sur le Web, c'est aussi un *portail*, ce qui signifie qu'il
contient d'autres bases de données pouvant vous inciter à l'utiliser
plus souvent. Chacune d'elles est identifiée par un lien sur lequel vous
pouvez cliquer. Ces liens apparaissent dans la page d'accueil juste au-
dessous de la boîte de saisie Recherche. En voici une liste non
exhaustive :

---

[1] Yahoo! ne distingue pas les minuscules des majuscules et "désaccentue" les voyelles.
Le signe "+" indique que la recherche doit s'effectuer sur l'association des deux
mots.

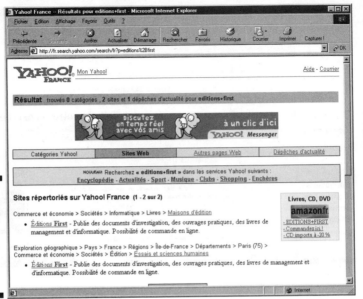

Figure 8.3 : Résultat d'une recherche avec Yahoo! sur les mots "Editions First".

- ✔ **Actualités :** À la Une, Monde, France, Local, Économie, Multimédia, Sciences, Santé, Dossiers.

- ✔ **Finance :** Bourse, Banque en ligne, Conversion de devises, Impôts, Vidéo.

- ✔ **Sport :** À la Une, Football, Formule 1, Tennis, Rugby, Basket, Cyclisme, et aussi...

- ✔ **Culture/Loisirs :** Cinéma, Musique, People, Horoscope, Jeux, Logithèque, Programmes Télé.

- ✔ **À voir :** Nouveautés, Sélection de la semaine, Sélection enfants, Le choix des surfeurs.

- ✔ **Services Yahoo! :** Yahoo! ADSL, Compagnon, Messenger, et aussi...

AltaVista

AltaVista est notre index préféré. Il met en œuvre un petit robot nommé Scooter qui passe son temps à visiter toutes les pages Web qu'il peut trouver sur le Net et ramène toutes les nouveautés qu'il y découvre. Il en résulte un index gigantesque comportant tous les mots qu'il rencontre dans ces pages. C'est à partir de cet index qu'il va trouver des pages contenant les mots que vous lui avez fournis comme critères de recherche.

AltaVista a environ dix fois plus de pages que Yahoo!, ce qui complique un peu les recherches. Quel que soit le sujet qui vous intéresse, à votre premier coup de filet, vous allez probablement ramener des milliers d'articles. D'où la nécessité d'affiner votre recherche afin d'aboutir à quelque chose de plus facile à gérer.

Lançons une petite recherche avec AltaVista. Pointez votre navigateur sur sa page d'accueil française à l'URL `fr.altavista.com`. Votre écran devrait ressembler à celui de la Figure 8.4.

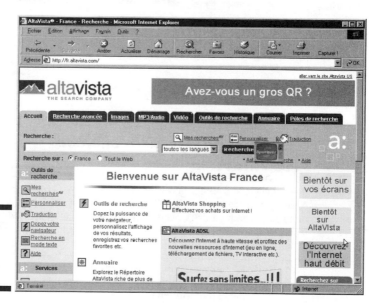

Figure 8.4 : AltaVista dans les starting-blocks.

AltaVista ignore systématiquement les articles et les conjonctions ainsi que des termes courants tels que internet.

Dans la boîte de saisie marquée Rechercher, tapez votre critère de recherche. Si vous ratissez trop large, par exemple en tapant `capitale venezuela` pour avoir des informations sur Caracas, vous allez obtenir 84 180 réponses comme vous le voyez sur la Figure 8.5 !

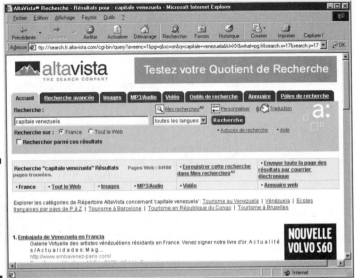

Figure 8.5 :
Les résultats
d'une
recherche
(qu'il importe
de resserrer)
avec
AltaVista.

Astuces pratiques de recherche avec AltaVista

Il est plus facile d'affiner la recherche avec AltaVista qu'avec Yahoo!.
Après chaque recherche, le critère de celle-ci est affiché dans une
boîte située en haut de la page, ce qui vous permet de le modifier et de
lancer une nouvelle recherche. Voici quelques indications sur la façon
de faire ces modifications :

✔ Tapez les mots en minuscules, sauf les noms propres qui
conserveront leur majuscule initiale (comme dans Elvis). Ne
tapez aucun mot tout en majuscules.

✔ Si deux ou plusieurs mots doivent apparaître ensemble,
entourez-les par des guillemets comme dans "Elvis Pres-
ley".

✔ Servez-vous des signes + et - pour spécifier les mots qui doivent
apparaître ou, au contraire, ne pas apparaître, comme dans
+Elvis+Costello-Presley si vous recherchez l'Elvis
moderne et non le King.

Vous pouvez limiter la recherche à des documents écrits dans une langue particulière en choisissant cette langue dans la liste déroulante à gauche du bouton Rechercher. Il vous propose aussi un système de traduction automatique, appelé Babelfish, dont les résultats vous procureront quelques joyeux moments.

Mais ce n'est pas tout...

Si vous regardez de près le bas d'une page contenant les résultats d'une recherche sur Yahoo!, vous y verrez des liens vers d'autres moteurs de recherche comme Lokace et Nomade pour la francophonie et AltaVista ou Excite pour l'international. En cliquant sur l'un d'eux, vous vous trouverez transporté dans une page du moteur de recherche choisi vous montrant les résultats de la recherche en cours.

L'abominable 404

Il vous arrivera, après avoir cliqué sur un des liens proposés par Yahoo! ou un de ses homologues, d'aboutir à un message du genre 404 not found. Cela signifie tout simplement que la page en question n'existe plus. Que voulez-vous, tout va si vite sur le Web que les moteurs de recherche ont bien du mal à se tenir à jour ! A cet égard, les index automatisés comme ceux de AltaVista et de Lycos sont plus à jour que les répertoires du style Yahoo!.

Navigateurs et moteurs de recherche

Vous pouvez taper des mots-clés dans la barre d'adresse de votre navigateur destinée habituellement à la saisie des URL. Il comprendra qu'il ne s'agit pas d'une adresse ordinaire et enverra ces informations à un moteur de recherche puis affichera les résultats obtenus ou, s'il n'y en a qu'un seul, la page correspondante.

Sachez que lorsque vous lancez ce genre de recherche, vos mots-clés seront conservés sur le site de Netscape ou d'Internet Explorer qui les utiliseront, entre autres, pour élaborer des statistiques sur les recherches lancées.

Autres moteurs de recherche

Lorsque vous serez bien habitué à Yahoo! et à AltaVista, vous souhaiterez sans doute essayer quelques-uns de leurs concurrents.

WebCrawler

WebCrawler (`www.webcrawler.com`) est un indexeur automatisé appartenant à AOL. Cependant, son utilisation est libre. C'est une alternative raisonnable à AltaVista.

Infoseek

Infoseek (`www.infoseek.com`) est un index semblable à AltaVista qui possède également un répertoire des pages Web les plus utiles. Il peut effectuer ses recherches sur le Web, Usenet, Reuters news et quelques autres sources d'informations variées.

Excite

Excite (`www.excite.com`) est aussi un index comme AltaVista, mais il est capable de trouver des pages significatives, même si vous n'avez pas orthographié correctement vos mots-clés.

HotBot

HotBot (`www.hotbot.com`) est encore un index comme AltaVista. Il appartient au même groupe de presse que le magazine *Wired*. Il exploite les catégories de l'Open Directory, l'annuaire mondial de sites appartenant à Netscape.

Lycos

Lycos (`www.lycos.com`) est un index largement automatisé à la façon de AltaVista. Il est maintenant surpassé par AltaVista pour les index et par Yahoo! pour les répertoires. Surtout intéressant pour les habitants des Etats-Unis.

Autres guides du Web

Il existe d'autres guides du Web, dont certains très spécialisés dans un domaine particulier. Citons, par exemple, Femina, qui est un guide féministe, à l'URL `femina.cybergirl.com`.

Il existe dans Yahoo! un répertoire des autres moteurs de recherche que vous pouvez consulter à la page `www.yahoo.fr`.

Recherche d'entreprises

La première façon de chercher des renseignements sur des entreprises est d'utiliser leur nom comme critère de recherche. Si vous êtes à la recherche de renseignements sur la *Egg Farm Dairy*, utilisez cette suite de trois noms, que ce soit avec Yahoo! ou AltaVista ou un autre des moteurs de recherche que nous venons de voir. Notez qu'il existe des systèmes plus spécialisés pour rechercher des informations commerciales.

Hoover's

Hoover's (`www.hoovers.com`) est depuis longtemps un spécialiste de l'édition des annuaires papier, qui a maintenant un pied sur le Net. Son site Web offre quelques services gratuits et davantage sur abonnement.

Demandez à EDGAR

Edgar (`www.edgar-online.com`) est le serveur du U.S. Securities and Exchange Commission (SEC) – l'équivalent de notre COB, Commission des opérations de Bourse – qui collecte des informations financières officielles sur les entreprises.

Quelques annuaires français

- Annuaire Pro de Yahoo! France : `fr.yp.yahoo.com`.
- Annuaire professionnel des entreprises françaises : `www.adx.fr`, `www.guidexpress.fr`, `www.entreprises.fr`.

✔ Annuaire européen des affaires : `www.europages.com/home-fr.html`.

✔ Les Pages Jaunes : `www.pagesjaunes.fr`.

Recherche de personnes

Trouver quelqu'un sur le Net est aussi facile qu'inefficace. Il existe deux systèmes de recherche de personnes qui se recoupent : ceux qui recherchent des personnes sur le Net avec adresse *e-mail* et/ou Web, et ceux qui recherchent des personnes dans la vie réelle avec adresse postale et numéro de téléphone. Pour ce dernier type de recherche, rien ne vaut – pour les personnes résidant en France – notre bon vieux Minitel que l'on peut consulter à partir d'un ordinateur à l'aide d'un logiciel spécialisé comme Timtel de Goto Informatique.

Dans la vie réelle

Ces annuaires sont compilés à partir des annuaires papier. Les personnes qui ne figurent pas sur ces derniers depuis plusieurs années n'ont aucune chance de se trouver sur les annuaires du Web.

Sur le Net

Si vous cherchez à savoir si quelqu'un a une page Web, utilisez AltaVista pour y rechercher son nom.

Un (e) ami (e) américain (e)

Le service d'annuaire de Yahoo! (`people.yahoo.com/`) vous renseignera pour peu que vous connaissiez la ville et l'état dans lesquels il(elle) réside.

Un (e) ami (e) français (e)

Si vous ne voulez pas du Minitel, essayez Yahoo! (`fr.people.yahoo.com`). Par ce moyen, vous pouvez aussi faire une recherche d'e-mail. En ce qui concerne le traducteur, des quatre adresses qu'il a ainsi obtenues, toutes étaient largement périmées. Par contre, ses trois plus récentes étaient absentes. Tirez-en la conclusion qui s'impose !

Les annuaires de Wanadoo

Pointez votre navigateur sur l'URL www.wanadoo.fr puis cliquez sur la rubrique Annuaires dans la liste des rubriques de la colonne de gauche. Vous verrez alors s'afficher la page reproduite sur la Figure 8.6 vous proposant les adresses e-mail, les Pages Blanches (particuliers), les Pages Jaunes (entreprises) et les rues commerçantes.

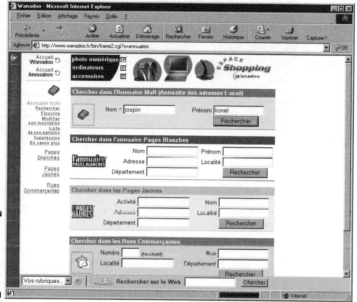

Figure 8.6 :
Les quatre
annuaires
proposés par
Wanadoo.

Les métamoteurs

On appelle ainsi des logiciels qui lancent des recherches sur plusieurs moteurs de recherche simultanément en formulant la question selon la syntaxe exacte exigée par chacun d'eux. L'un des plus connus et des plus renommés est Copernic dont il existe une version gratuite, un peu limitée dans ses possibilités, mais néanmoins très performante. La Figure 8.7 montre comment se présente sa fenêtre principale. Vous pouvez la télécharger à l'URL www.copernic.com.

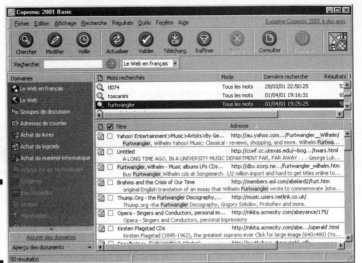

Figure 8.7 :
Fenêtre
principale de
Copernic
2001.

Chapitre 9

Le commerce électronique

- -

Dans ce chapitre :

▶ Pour ou contre les achats en ligne.

▶ Le problème des cartes de crédit.

▶ Allons faire nos courses !

▶ Tour d'horizon de quelques sites marchands.

- -

S ans doute avez-vous déjà acheté quelque chose ou réservé un billet de train ou d'avion avec un Minitel. Avec l'Internet, c'est le monde entier qui s'offre à vous.

Pour ou contre les achats en ligne

Voici les raisons pour lesquelles nous aimons bien faire nos achats en ligne :

- ✔ Les magasins en ligne sont ouverts toute la nuit et vous n'agacez personne si vous ne faites que regarder pendant des jours et des jours avant d'acheter.

- ✔ Le choix peut être meilleur et les prix parfois inférieurs.

- ✔ Ceux qui vivent dans des petites villes perdues ou à la campagne trouvent sur le Net de nombreux articles difficiles à dénicher, sinon introuvables, chez eux.

D'un autre côté, voici quelques raisons qui nous poussent à ne pas *tout* acheter sur le Net :

✔ Vous ne pouvez pas physiquement essayer, tester ou regarder ce que vous achetez et, parfois, les délais de livraison sont assez longs.

✔ Nous aimons bien nos petits commerces locaux, et nous essayons de contribuer à l'économie de notre région aussi souvent que nous le pouvons.

Le problème des cartes de crédit

La plupart du temps, c'est avec une carte de crédit qu'on règle ses achats en ligne. Cependant, beaucoup de gens craignent que des individus malintentionnés et armés de divers outils électroniques soient à l'affût pour tenter de s'approprier les numéros de cartes de crédit circulant sur le Net. Jamais tel incident ne nous est arrivé. Sachez que la plupart des entreprises de vente en ligne effectuent leurs transactions commerciales en mode sécurisé (les informations que vous leur envoyez sont chiffrées). Et puis, songez que tenter d'intercepter une information de ce type dans le flot du trafic de l'Internet est une véritable gageure, même sans chiffrement.

Allons faire nos courses !

Il existe deux méthodes générales d'achat sur le Net :

✔ **Avec un caddie virtuel.** Vous ajoutez au fur et à mesure que vous les voyez les articles choisis dans votre caddie puis vous visualisez le récapitulatif. A tout moment vous pouvez ajouter ou retirer des articles à votre gré, de la même façon que dans un véritable magasin, à ce détail près que vous n'êtes pas obligé, ici, de remettre l'article dans son rayon.

✔ **Sans caddie virtuel.** Ou bien vous commandez un seul article à la fois ou bien vous remplissez un formulaire de commande en cochant des cases en face du nom des articles commandés.

Dans les deux cas, il ne vous reste plus qu'à indiquer votre mode de paiement ainsi que toutes indications utiles pour la livraison.

Un achat simple

Nous allons visiter le site Web américain appelé *Great Tapes for Kids*, qui propose des cassettes vidéo ou audio et des livres pour enfants. Pointez votre navigateur sur l'URL www.greattapes.com et vous verrez ce que montre la Figure 9.1.

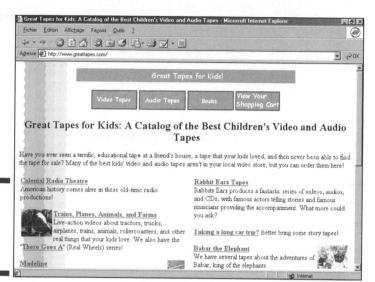

Figure 9.1 : Bienvenue sur le site Web *Great Tapes for Kids*.

Une fois que vous aurez fait votre choix, cliquez sur l'icône Order form (bon de commande) dans l'une des pages du site. Un bon de commande de grande taille va s'afficher avec une case en face de chaque titre, comme le montre la Figure 9.2. Faites-le défiler et cochez les articles choisis. Au bas du bon de commande, indiquez dans le formulaire votre identité et le moyen de paiement choisi (Figure 9.3). Si vous craignez d'y inscrire votre numéro de carte de crédit, vous pouvez laisser cette case vierge et communiquer plus tard ce renseignement par téléphone. Cliquez ensuite sur le bouton Send (envoyer)

Les cookies

Les *cookies* sont de petits morceaux de texte envoyés par un site Web à un ordinateur client. Ils sont stockés sur votre ordinateur sous la forme d'un petit fichier (pas plus de 4 Ko de texte). Ils permettent à un serveur Web de mieux suivre votre "caddie virtuel" contenant les produits sélectionnés mais non encore achetés, même si vous déconnectez votre ordinateur avant de conclure votre achat. Vous pouvez voir les cookies en consultant un fichier dont le nom ressemble à `cookies.txt`. (Avec Netscape Navigator, il se trouve probablement dans votre dossier C:\Program Files\Netscape\Users*votrenom*. Avec Internet Explorer, vos cookies sont rangés dans le dossier C:\Windows\Cookies.)

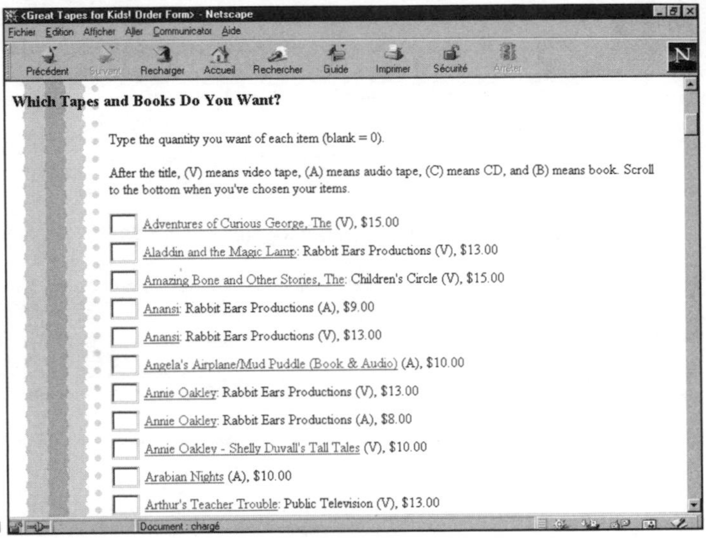

Figure 9.2 :
Cochez la
case en face
de l'article
que vous
commandez.

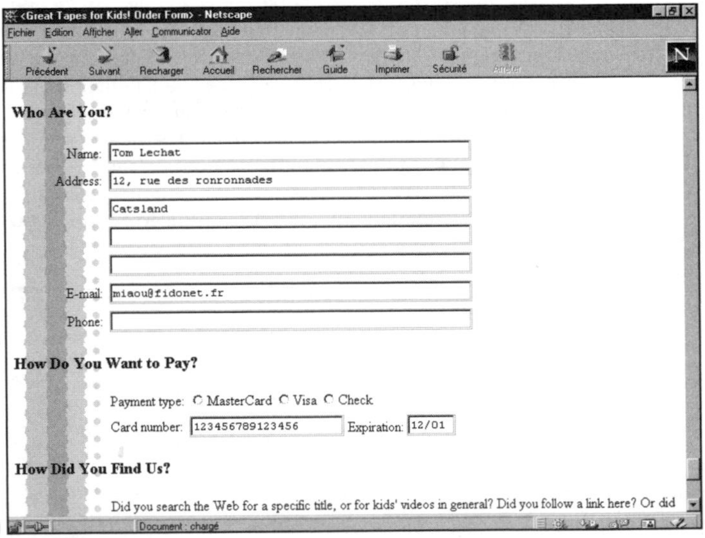

Figure 9.3 :
Les derniers
détails ne
sont pas les
moins
importants.

et votre commande sera enregistrée. Vous recevez généralement un message d'accusé de réception.

Des achats plus élaborés

Au cours de votre visite d'un site marchand, vous pouvez remplir votre caddie virtuel avec les articles sélectionnés, en ajouter et en supprimer à votre gré, simplement en cliquant sur un bouton marqué "Ajouter à votre caddie" ou quelque chose du même genre. Ensuite, lorsque vous avez ainsi repéré tous les articles qui vous intéressent, vous pouvez passer en caisse pour payer les articles placés dans votre panier. Jusqu'au dernier moment, vous conservez la faculté de supprimer les articles qu'après réflexion vous avez décidé de ne pas acquérir.

C'est ce qui a été réalisé dans la nouvelle version de Great Tapes for Kids. Au moment où vous cliquez sur le bouton Order (commande), l'interminable liste d'articles a disparu, faisant place à la page du caddie virtuel dont la partie la plus intéressante est visible sur la Figure 9.4. On voit que seul l'article sélectionné y figure déjà.

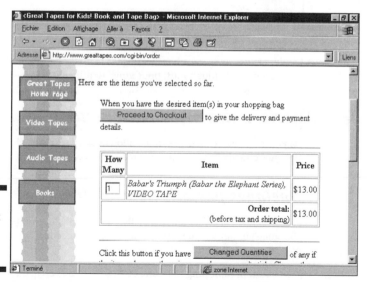

Figure 9.4 :
Un éléphant
dans un
caddie
(virtuel) !

Supposons qu'une seule cassette vidéo ne vous suffise pas parce que vous avez deux neveux. Vous allez cliquer sur le bouton Resume Shopping (reprendre le cours des achats), chercher une autre cassette et cliquer à nouveau sur Order. Vous avez maintenant deux cassettes sur votre carte d'achats, comme on le voit sur la Figure 9.5.

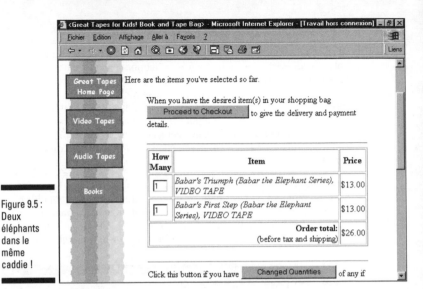

Figure 9.5 :
Deux
éléphants
dans le
même
caddie !

La plupart des sites marchands utilisent la méthode des cookies, dont nous avons parlé plus avant, pour vous identifier.

Tour d'horizon des sites marchands

Dans le reste de ce chapitre, nous allons vous présenter plusieurs sites marchands (ou *e-commerces*).

Quelques portails pour le shopping

Pour commencer, voici une petite liste de portails offrant une rubrique Shopping sur laquelle il suffit de cliquer pour accéder à une multitude de vitrines de sites marchands :

- ✔ **Yahoo! Shopping** (fr.shopping.yahoo.com) : C'est l'un des plus avancés.

- ✔ **Multimania** (www.multimania.fr) : Un autre portail très qualifié dans le domaine du e-commerce.

- ✔ **Wanadoo** (www.wanadoo.fr) : La rubrique Shopping de Wanadoo est une des plus anciennes du Web. Elle expose plus d'une trentaine d'enseignes.

> ✔ **Citons encore :** `www.aol.fr`, `www.msn.fr`, `www.nomade.fr`, `www.telecommerce.fr`.

Si vous partez en voyage

Voici deux portails et un site à connaître par ceux qui projettent de partir en voyage :

> ✔ **Yahoo! Voyages :** `fr.travel.yahoo.com`.

> ✔ **TravelPrice :** `www.travelprice.com/FR`.

> ✔ **Dégriftour :** `www.degriftour.com`. Nombreux vols et séjours, et vols dégriffés à des prix cassés.

Le veau d'or

Si vous aimez jouer en Bourse, vous trouverez une gamme remarquable de ressources en ligne propres à satisfaire votre passion. Voici, sans engagement de notre part, quelques adresses de sites boursiers en France (informations, conseils, négociation...) :

> ✔ `www.cob.fr`. La très officielle Commission des opérations de bourse dont la page d'accueil est reproduite sur la Figure 9.6.

Figure 9.6 : La page d'accueil du site Web de la COB.

- www.3611bourse.com/accueil/index.php.
- wwww.boursorama.com.
- www.boursier.com.
- www.boursedirect.fr.
- www.abcbourse.com.
- www.boursediscount.com.
- www.i-bourse.fr.
- www.tradebourse.com.

Livres et produits similaires

C'est probablement le domaine où l'achat en ligne est le moins risqué (pas de problème de taille, de couleur ou de matière). Voici quelques adresses de base :

- **Amazon.com** (www.amazon.com aux Etats-Unis ; www.amazon.fr, en France – voir la Figure 9.7). C'est l'un des plus importants sites marchands consacrés aux livres de l'Internet. Son catalogue est énorme et vous pouvez recevoir en quelques jours la plupart des articles qui y figurent.

Figure 9.7 : Tous les livres disponibles en France sont répertoriés sur Amazon.fr.

✔ **La FNAC** (www.fnac.com). Livres, disques, voyages, spectacles, etc., ainsi que d'autres informations dans le domaine culturel ou multimédia. Sa page d'accueil est illustrée par la Figure 9.8.

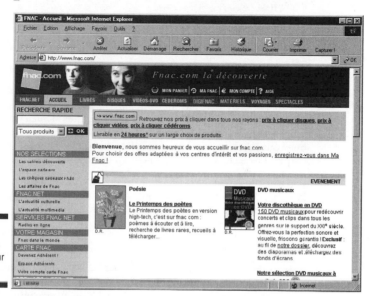

Figure 9.8 :
Une grande
enseigne sur
le Net.

✔ **Citons encore** : www.alapage.com, www.bol.com, www.chapitre.com et www.librairieonline.com.

Habillement

Les deux principales enseignes de VPC bien connues des habitués du Minitel ont maintenant leur site Web :

✔ **La Redoute** : www.redoute.fr.

✔ **Les 3 Suisses** : www.3suisses.fr.

Ordinateurs

Assurez-vous que ces sites de vente en ligne acceptent des retours de marchandises en cas d'insatisfaction et qu'ils accordent une garantie suffisante.

- **Dell Computer :** www.euro.dell.com.
- **Gateway :** 194.106.156.150/default2.htm.
- **IBM :** www.fr.ibm.com.

Ventes aux enchères et marchandises d'occasion

Sur le Net, plusieurs sites vous permettent de participer à des ventes aux enchères en ligne offrant de nombreux articles allant d'ordinateurs complets ou en pièces détachées à des antiquités. Tout s'y passe comme dans les ventes aux enchères traditionnelles : si vous savez ce que vous faites, vous pouvez y réaliser de bonnes affaires, sinon vous risquez fort de ne pas en avoir pour votre argent.

Certains sites vous permettent de proposer vous-même des articles à la vente, ce qui est une façon comme une autre de vous débarrasser de tout le fatras qui encombre votre maison.

- **eBay** (www.ebay.com) : C'est le site d'enchères le plus populaire aux Etats-Unis.
- **Yahoo! Enchères** (fr.auctions.yahoo.com) : De nombreuses catégories vous sont proposées, dont Informatique et Multimédia, Antiquités, Collection, Mode, Accessoires, et même des billets d'avion à miniprix.

TRUC

La check-list de l'acheteur en ligne

Voici quelques-unes des questions que vous devez vous poser lorsque vous effectuez des achats en ligne. Vous remarquerez qu'elles ne sont pas très différentes de celles qui conviennent aux achats traditionnels.

- Est-ce que la description des articles est suffisamment claire pour que vous vous rendiez bien compte de la nature de votre achat ?
- Est-ce que les prix proposés sont compétitifs, comparativement à d'autres entreprises de VPC ou au commerce traditionnel ?
- Est-ce que les produits proposés sont en stock ? Sinon quel est leur délai de livraison ?
- Est-ce que l'entreprise jouit d'une bonne réputation ?
- Peut-on rendre les articles ne convenant pas ?

✔ **Wanadoo** (`aucland.wanadoo.fr`) : Site de vente de Wanadoo. Sa rubrique Enchères renferme de nombreuses catégories (Art et Antiquités, Auto-Moto, Informatique, Voyages, Circuits, etc.).

✔ **IBazar :** Bien connu par sa publicité à la télé : `www.ibazar.fr` et `www.ibazarpro.fr`.

✔ **Citons aussi :** `www.iyatoo.com`, `www.netpuces.com`, `www.odeal.com` et `www.qxl.com`.

Chapitre 10

Ma première page Web

- -

Dans ce chapitre :

▶ Les bases de la publication sur le Web.
▶ Le texte et l'image.
▶ Publier ou périr.

- -

Au bout d'un temps plus ou moins long, tout surfer songe à écrire une page personnelle et à la placer sur le Web. En général, un site Web se compose d'une suite de pages dont la première est traditionnellement appelée *page d'accueil (home page)*. Si vous souhaitez, vous aussi, avoir la vôtre, lisez ce chapitre.

Bien que la création d'une page ne soit pas difficile, cela peut sembler compliqué pour un nouveau venu à l'informatique. Mais, si vous êtes capable d'utiliser un traitement de texte tel que Word pour taper une lettre, vous pouvez très bien créer une page d'accueil.

Les bases de la publication sur le Web

Si une page d'accueil est une page Web, l'inverse n'est pas vrai. Nous allons donc vous montrer comment créer une page Web, que ce soit ou non une page d'accueil.

Les grandes étapes

Les principales étapes de la création d'un site Web sont très simples :

1. **Ecrivez quelques pages Web.** Commencez par une seule page.
   N'importe quel éditeur ou traitement de texte peut faire l'affaire
   mais de nombreux outils logiciels ont été spécialement conçus à
   cet effet. Enregistrez ensuite les pages sur votre disque dur.

2. **Testez-les sur votre propre navigateur.** Avant d'exposer votre
   œuvre au public, assurez-vous que sa présentation est conforme
   à ce que vous attendez. Ouvrez vos pages dans votre navigateur
   (appuyez sur les touches <Ctrl>+<O> et tapez le nom du fichier
   contenant votre page).

3. **Publiez-les sur le système de votre fournisseur d'accès.** Pour
   que tout le monde puisse les voir, vous devez les recopier sur
   les disques de votre fournisseur d'accès ou d'un autre
   "hébergeur".

Fournisseur d'accès ou hébergeur ?

Outre les fournisseurs d'accès, il existe des professionnels du Web qui acceptent
– parfois en vous imposant d'une façon ou d'une autre des bandeaux publicitaires
– d'héberger vos pages. En France, nous avons par exemple Multimania
(www.multimania.fr) et Chez (www.chez.com). C'est une alternative importante si vous estimez, par exemple, que les conditions imposées par votre
fournisseur d'accès sont trop contraignantes.

Pour cette dernière phase, le mieux est d'utiliser un logiciel *client FTP*
(voir le Chapitre 16). Quelle que soit la méthode choisie, vous devez
connaître certains détails avant de procéder :

✔ **Le nom de l'ordinateur vers lequel vous téléchargez vos
fichiers.** Ce n'est généralement pas le même que celui du
serveur Web. Par exemple, chez Multimania, l'URL du serveur
FTP est ftp.multimania.com alors que l'URL de la page
d'accueil est www.multimania.fr.

✔ **Le nom d'utilisateur et le mot de passe pour effectuer des
échanges FTP.** Ce sera généralement les mêmes que ceux que
vous utilisez pour vous connecter au Net, sauf si vous utilisez
les services d'un hébergeur différent.

✔ **Le nom du répertoire du serveur vers lequel vous téléchargez
vos pages.** Presque toujours, ce sera inutile car vous serez
automatiquement dirigé vers le répertoire qui vous a été
attribué et qui correspond à votre nom d'utilisateur.

✔ **Le nom de fichier correspondant à votre page d'accueil.** Vous pouvez donner à votre page d'accueil le nom qui vous convient mais on préfère souvent l'appeler `index.htm` ou `index.html`.

✔ **L'URL de vos pages.** Elle vous aura été précisée de celui qui héberge votre page. Par exemple :
`jules.dupont.multimania.com` ou `www.chez.fr/votre page`.

Prenez votre crayon

Pour l'essentiel, il existe deux niveaux d'approche de la création de pages Web : la méthode compliquée, dans laquelle vous écrivez vous-même les codes HTML, et la méthode simple, dans laquelle vous laissez à un programme spécifique le soin de les écrire pour vous. Nous ne dirons rien ici de la première approche, la laissant aux bidouilleurs et autres accros de la technique (dont vous ne faites pas partie puisque vous lisez ce chapitre). L'approche la plus normale donc est d'utiliser un des nombreux éditeurs HTML WYSIWYG du marché.

WYSIWYG signifie littéralement *what you see is what you get*, que l'on traduit chez nous par *tel écran, tel écrit*. Concrètement, cela veut dire que ce que vous obtiendrez finalement sera conforme à ce que vous montre l'écran de l'éditeur.

Les navigateurs de Netscape et de Microsoft contiennent tous deux dans leur package un éditeur de pages Web. Pour Netscape Navigator, c'est Netscape Composer (Communicator/Composer). Pour Internet Explorer, c'est un module distinct, FrontPage Express, que vous devez installer à partir du CD-ROM de Internet Explorer.

Les fanatiques de la pomme estiment que BBEdit Lite (`www.barebones.com/free/free.html`) est un excellent outil de composition de pages Web.

Bien que certains traitements de texte, comme Word 97 et WordPerfect version 8, aient des possibilités d'édition HTML, les éditeurs graphiques HTML spécialisés sont néanmoins plus appropriés.

Le pied à l'étrier

Une page Web est un fichier, tout comme un document produit par un traitement de texte ou une feuille de calcul issue d'un tableur. Vous devez donc commencer par créer votre page Web sur votre disque dur. Vous pouvez ensuite voir à quoi elle ressemble avec votre navigateur. Les cycles d'édition et d'examen vont alors se succéder jusqu'à ce que le résultat obtenu vous satisfasse.

Voici, pas à pas, l'approche de la création d'une page Web à l'aide d'un traitement de texte comme Word 97 ou Word 2000 de Microsoft.

1. **Lancez votre traitement de texte.**

2. **Cliquez sur Fichier/Nouveau.** Dans la boîte de dialogue qui s'ouvre, cliquez sur l'onglet Pages Web et choisissez un modèle quelconque. Vous voilà face à une grande page blanche. Tapez quelque chose. Par exemple, commencez par un titre : "Bienvenue" en police 16, centré et en gras. Puis, sur deux lignes normales, au-dessous, présentez-vous et dites ce que vous faites.

3. **Sauvegardez votre travail.** Pour cela, cliquez sur Fichier/ Enregistrer sous... et dans la rubrique Type de la boîte de sélection de fichier qui s'ouvre, sélectionnez HTML document. Dans la rubrique Nom de fichier, tapez Index. Cliquez sur Enregistrer et tout est dit.

La Figure 10.1 vous donne une idée de ce que peut donner votre texte dans la fenêtre de Word 97. La Figure 10.2 vous montre comment elle apparaît dans Internet Explorer.

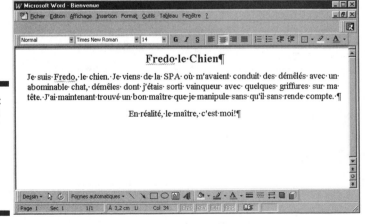

Figure 10.1 : A quoi peut ressembler votre première page Web composée dans Word 97.

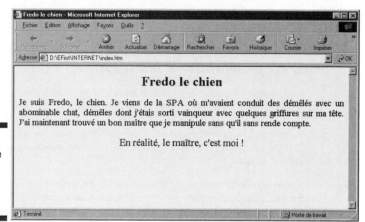

S'il s'agit d'une page personnelle, nous vous recommandons de ne pas y mettre votre adresse postale ou votre numéro de téléphone. S'il s'agit d'une page professionnelle, au contraire, n'oubliez pas de les faire figurer.

Quelques images

Presque toutes les pages Web contiennent des images d'un style ou d'un autre. Ces images peuvent se trouver dans le même répertoire que les pages elles-mêmes ou dans un fichier à part.

Formats d'image

Il existe des douzaines de formats d'image. Par bonheur, trois seulement sont communément utilisés sur le Web. On les appelle GIF, PNG et JPEG. GIF utilise une technique de compression dont les droits appartiennent à Unisys qui, de temps à autre, rappelle qu'elle est titulaire du copyright de ce format. Les fichiers JPEG sont généralement de plus petite taille et s'emploient sans licence. Le format PNG est un remplaçant du format GIF, plus évolué et libre de droits mais il n'est pas reconnu par les très anciens navigateurs Web.

Si le format de votre image est différent (par exemple BMP ou PCX), vous devez commencer par la convertir dans l'un des trois formats reconnus. Il existe pour cela de nombreux programmes tels que LView

Pro ou Paint Shop Pro. Consultez le site de TUCOWS à l'URL `tucows.chez.delsys.fr`.

D'où proviennent les images ?

Vous pouvez les faire vous-même à l'aide d'un éditeur graphique, scanner des photos ou utiliser votre appareil de photo numérique (si vous en avez un). Il existe aussi de nombreuses sources d'images sur le Web. Faites, par exemple, une recherche sur `www.yahoo.com` en choisissant la catégorie Computers and Internet, puis Graphics et enfin Clip Art.

Vous pouvez également en trouver sur le site `www.arttoday.com`. Sachez, toutefois, qu'une modeste contribution annuelle vous sera demandée.

Si vous trouvez une image qui vous plaît sur une page Web, demandez par e-mail à son auteur la permission de l'utiliser. Généralement, il sera d'accord.

Enfin, il existe dans le commerce des CD-ROM remplis de cliparts qui sont généralement de meilleure qualité que les images gratuites que vous pouvez trouver.

La plupart des gens se montrent très raisonnables lorsque vous leur demandez l'autorisation d'utiliser quelque chose sur lequel ils ont un droit de propriété. Si l'image que vous désirez n'est pas accompagnée d'une déclaration stipulant que son utilisation est libre de toute contrainte et/ou paiement de royalties, il faut prendre contact avec son possesseur avant de l'incorporer à votre page Web.

Liens avec d'autres pages

Un *lien* est l'astuce qui vous permet de réellement "surfer" sur le Web, c'est-à-dire d'aller de page en page en cliquant simplement sur des liens. Une page Web n'est pas une vraie page Web si elle ne contient aucun lien.

L'immense richesse du Web provient précisément des liens que les auteurs ont placés dans leurs pages. Vous pouvez contribuer à cette richesse en plaçant dans la vôtre (ou les vôtres) des liens vers les endroits susceptibles d'intéresser vos visiteurs. Evitez les liens pointant vers de sites archiconnus comme les moteurs de recherche. Si votre page traite d'un sujet assez pointu qui vous intéresse particulièrement comme la sculpture sur pierre, les techniques de peinture à l'ancienne ou la vinification, vous pouvez y placer des liens vers vos sites préférés dans ce domaine.

Des pages bien conçues

Après avoir créé une page Web élémentaire, suivez les conseils de cette section qui vous permettront d'éviter certaines erreurs, courantes chez les débutants :

Polices de caractères et styles

Ne tombez pas dans le défaut classique des débutants en traitement de texte qui est d'utiliser toutes les couleurs du spectre dans leur texte et d'abuser du **gras**, de *l'italique*, du <u>soulignement</u> ou même d'une **<u>combinaison</u>** des trois. Fuyez comme la peste le clignotement du texte.

Images d'arrière-plan

Les images d'arrière-plan affichées en mosaïque peuvent ajouter de l'agrément à une page à condition qu'elles restent discrètes. Mais, la plupart du temps, leur effet le plus visible est de rendre le texte qui les recouvre difficile à lire. On utilise depuis toujours du texte de couleur noire sur un fond uni de couleur blanche (comme les pages de ce livre) et tout le monde trouve ça bien.

Images de grande taille

Trop de pages sont remplies d'images de grande taille dont l'effet le plus perceptible est d'allonger le temps de chargement de la page. Parfois tellement, que le visiteur, impatienté, arrête la transmission et part explorer un autre lien. Tout le monde ne dispose pas d'une connexion à haut débit.

Limitez la taille des images utilisées. Vous pouvez estimer le temps de chargement des images à 1 Ko par seconde sur une connexion par ligne téléphonique ; une image de 5 Ko ne demande donc que 5 secondes, ce qui est parfaitement acceptable. En revanche, une image de 120 Ko demandera deux minutes, autant dire qu'il faut vraiment qu'elle en vaille la peine.

Vous pouvez placer une image de petite taille (une *vignette*) dans votre page et proposer à vos visiteurs de charger, en cliquant dessus, une version de cette même image dans une plus grande taille.

Si vos images sont au format GIF, sachez que moins elles contiennent de couleurs et plus leur chargement est rapide. Si, à l'aide d'un éditeur graphique, vous réduisez le nombre de couleurs d'une image de 256 à 32 ou même à 16, son aspect n'aura guère changé, mais sa taille sera réduite dans de notables proportions.

Si vos images sont au format JPEG, vous pouvez choisir leur niveau de "qualité". Plus il est faible et plus l'image est petite. Vous pouvez définir cette qualité comme assez basse tout en préservant un aspect suffisamment bon dans le navigateur de ceux qui viendront voir votre page.

Enfin, vous pouvez également tirer parti du *cache* dont disposent la plupart des navigateurs. Ce cache sert à conserver une copie des pages précédemment chargées. Si l'image d'une nouvelle page est identique à une image déjà placée dans le cache, elle ne sera pas réellement chargée ; c'est la copie du cache qui sera transférée sur l'écran. Lorsque vous utilisez la même icône à plusieurs endroits d'une page ou de plusieurs pages, son fichier n'est chargé qu'une seule fois.

Observez et apprenez

En visitant d'autres pages du Web, vous aurez l'occasion de voir des présentations qui vous plairont particulièrement. Vous pourrez alors regarder de près le code HTML de ces pages pour voir comment elles ont été construites. Avec Netscape Navigator 4.7, cliquez sur Afficher/ Source de la page ; avec Internet Explorer, cliquez sur Affichage/ Source.

Publier ou périr

Lorsque vous serez satisfait de l'aspect de votre page, il sera temps de la montrer au reste du monde. Pour cela, il est nécessaire de la placer sur un *serveur Web* accessible par n'importe qui.

La plupart des fournisseurs d'accès vous proposent de 10 à 100 mégaoctets sur leurs disques pour y loger vos pages Web, mais la façon d'exploiter cet emplacement varie de l'un à l'autre. C'est donc à vous de vous renseigner avec exactitude sur la procédure à respecter pour enregistrer votre page. Voici la stratégie générale à appliquer :

1. **Lancez votre programme client FTP.** L'un des plus simples est WS_FTP (que nous décrirons au Chapitre 16).

2. **Avec ce programme, connectez-vous au serveur Web où va être placée votre page sous votre nom d'utilisateur, en donnant votre mot de passe.**

3. **Placez-vous dans le répertoire (dossier), dont le nom vous a été indiqué.** Presque toujours, vous n'aurez rien à spécifier car vous serez automatiquement dans le répertoire qui vous a été alloué en fonction de votre nom d'utilisateur.

4. **Téléchargez vos pages.** N'oubliez pas, ensuite, de vérifier comment se présente votre page maintenant qu'elle est réellement publiée sur le Web, donc publique.

On recommande souvent aux auteurs d'appeler leur page d'accueil index.htm ou index.html. Le seul avantage de cette astuce est de permettre à vos visiteurs d'ignorer le nom de votre page d'accueil et de n'indiquer de l'URL que ce qui précède le slash (/). Ces deux noms font en effet partie des noms par défaut des fichiers à charger lorsque l'URL est incomplète.

Si vous découvrez une affreuse erreur qui vous avait échappé, corrigez-la d'abord localement, sur votre disque dur, puis transférez le nouveau fichier sur le serveur Web où se trouve votre page. Il viendra remplacer la précédente version. Si vous ne modifiez qu'une partie de vos pages, il est inutile de recharger les pages qui n'ont pas été changées.

Soyez maître de votre domaine

Une adresse Web telle que :

```
www.celebrites.stradford-on-avon.com/~Shakespeare/PrinceDuDanemark/
index.html
```

est bien moins attrayante que :

```
www.hamlet.org
```

Obtenir un nom de domaine est bien moins compliqué et onéreux qu'il n'y paraît. Enfin, aux Etats-Unis... Parce qu'en France, la bureaucratie ne perd jamais ses droits. Pour tout savoir sur la procédure à suivre, consultez la page de l'AFNIC, organisme français ayant en charge l'attribution des noms de domaines en France, à l'URL www.nic.fr

(voir la Figure 10.3). Nous extrayons de son site Web les deux paragraphes qui suivent :

Tout individu ou toute organisation souhaitant déposer un nom de domaine dans la zone .fr doit impérativement s'adresser à un prestataire Internet membre de l'AFNIC.

Ce fournisseur d'accès vous aidera à déterminer votre nom de domaine de façon à être en conformité avec la charte de nommage. Il transmettra à l'AFNIC les documents nécessaires que vous lui aurez préalablement fournis pour l'enregistrement de votre nom de domaine.

Figure 10.3 : Page d'accueil de l'AFNIC.

Mais rien ne vous empêche de vous adresser à un organisme américain. Pour cela :

1. **Choisissez un nom.**

2. **Enregistrez votre nom.** Le plus ancien organisme d'enregistrement a une page Web à l'URL www.nic.com. Il existe aujourd'hui d'autres fournisseurs de nom de domaine (dont certains sont gratuits en échange de bandeaux publicitaires, tels que www.24pm.com/domainegratuit pour les .net et .org).

3. **Demandez à votre fournisseur d'accès d'*héberger* votre nom.**
   En général, s'il accepte, il vous fera payer ce service.

Un peu de pub

Une fois votre page en ligne, vous voudrez sans doute que l'on vienne
la visiter. Voici quelques moyens de vous faire un peu de pub :

✔ Visitez vos moteurs de recherche et index favoris et déclarez
l'URL de votre page. Tous ont une option à cette fin, proposée
sur leur page d'accueil. Les index automatisés, tels que
AltaVista, le font rapidement alors que les répertoires gérés
manuellement, tels que Yahoo!, en revanche, peuvent carrément
les refuser.

✔ Faites un tour sur le site www.submit-it.com, qui vous fera
référencer par tout un ensemble d'index et de moteurs de
recherche. Vous pouvez ainsi, gratuitement et en une seule fois,
vous faire référencer par une vingtaine d'index et de moteurs de
recherche du Web. Moyennant finance, vous pourrez considérablement augmenter ce nombre.

✔ Découvrez et visitez d'autres sites traitant du même sujet que le
vôtre et proposez-leur d'échanger mutuellement vos liens.

Il vous faudra attendre un certain temps pour que votre site soit
connu et régulièrement visité. S'il propose quelque chose de différent
qu'on ne trouve pas ailleurs et présente un réel intérêt pour certaines
catégories d'amateurs, il peut devenir très populaire.

Quatrième partie
L'essentiel de l'Internet

Dans cette partie...

Dans cette partie, nous allons vous expliquer tout ce qu'il faut savoir pour utiliser le courrier électronique et nous détaillerons le mécanisme des listes de diffusion *(mailing lists)*. Ceux qui souhaitent communiquer plus rapidement trouveront des chapitres sur la messagerie instantanée et l'*IRC* (moyens de dialogue en direct).

Chapitre 11

Courrier par-ci, courrier par-là !

. . . .

Dans ce chapitre :

▶ Les adresses e-mail.

▶ Envoi de courrier.

▶ Réception du courrier.

▶ La netiquette de l'e-mail.

. . . .

*L*e courrier électronique, ou *e-mail*, est sans aucun doute le service le plus populaire de l'Internet. Bien qu'il ne suscite pas le même engouement que le World Wide Web, davantage de personnes s'y adonnent. Chaque système raccordé au Net supporte, d'une façon ou d'une autre, un système de messagerie, ce qui signifie que, quel que soit le type de votre ordinateur, pour peu qu'il soit connecté au Net, vous pouvez envoyer et recevoir du courrier.

Quelle est mon adresse ?

Toute personne ayant un accès au Net par courrier électronique dispose d'une *adresse électronique*. C'est l'équivalent, dans le cyberespace, d'une adresse postale ou d'un numéro de téléphone dans le monde réel. Lorsque vous écrivez une lettre, vous mettez l'adresse de son destinataire sur l'enveloppe. Lorsque vous envoyez un message par courrier électronique, vous mettez dans son en-tête l'adresse électronique de votre correspondant. Vous pouvez même y mettre une liste d'adresses pour diffuser le même message à plusieurs destinataires.

Les adresses électroniques de l'Internet se composent de deux parties séparées par le caractère "@" *(arobase)*. Ce qui se trouve à gauche est votre identifiant personnel (votre boîte aux lettres), et ce qui est à droite est le *nom de domaine* (généralement le nom de votre fournisseur d'accès : `aol.com` ou `wanadoo.fr`, par exemple).

Votre nom d'utilisateur

Presque toujours, votre fournisseur d'accès vous laissera choisir le nom de votre boîte aux lettres. Toutefois, si vous vous appelez Pierre Martin, il y a probablement déjà un Martin parmi sa clientèle ; peut-être même un Paul Martin ou un autre Pierre Martin. Vous devrez alors utiliser une variante du genre `pmartin` ou `p.martin` ou `martinp`.

La plupart des fournisseurs d'accès vous permettent même d'avoir plusieurs adresses électroniques, de la même façon que vous pouvez avoir une résidence secondaire, voire tertiaire.

Le nom de domaine

Pour les Etats-Unis, le nom de domaine se termine par un groupe de trois lettres précédé d'un point, qui s'appelle le nom de *zone*. Le plus courant est `.com` (commercial). On trouve aussi `.mil`, `.edu`, `.gov`, `.net` ou `.org`, dont la signification est évidente. `.com`, `.net` et `.org` sont aussi autorisés à l'extérieur des Etats-Unis.

Pour le reste du monde, le nom de domaine ne comprend que deux lettres représentatives du pays où est situé le domaine : `.fr` pour la France, `.ch` pour la Suisse, `.jp` pour le Japon, etc. Chez nous (comme en Angleterre), les règles de *nommage* se sont compliquées par l'ajout de noms de sous-domaines. Pour en savoir plus, consultez la page située à l'URL `www.nic.fr/Procedures/nommage.html`.

Votre boîte aux lettres est généralement située sur le serveur de courrier de votre fournisseur d'accès puisque, lorsque vous avez souscrit un abonnement, il a mis automatiquement à votre disposition une ou plusieurs boîtes aux lettres. En outre, de nombreux sites Web proposent gratuitement des boîtes aux lettres. Citons : Hotmail (`www.hotmail.com`), notre Poste nationale (`www.laposte.net`) ou encore Yahoo! (`mail.yahoo.com`). Dans ce cas, la partie de votre adresse électronique située après le signe @ porte le nom de domaine du site (par exemple, `jules.dupont@hotmail.com` ou `jules.dupont@laposte.net`).

Rassemblons le tout

Majuscules et minuscules sont généralement considérées comme équivalentes dans les adresses électroniques, notamment dans les noms de domaines (la différence pouvant – quoique rarement – être significative pour les noms d'utilisateurs). Voici les éléments qui caractérisent votre adresse e-mail :

✔ **Adresse e-mail.** Exemple : `arturo.ui@wanadoo.fr`.

✔ **Mot de passe.** Il est généralement identique à celui que vous utilisez pour votre login. Exemple : `uh71mk9`.

✔ **Le nom de votre serveur de courrier entrant (POP3).** Exemple : `pop.wanadoo.fr`.

✔ **Le nom de votre serveur de courrier sortant (SMTP).** Exemple : `smtp.wanadoo.fr`.

Les deux dernières adresses vous auront été communiquées par votre fournisseur d'accès ou auront été automatiquement configurées par l'exécution de son kit de connexion.

Si vous envoyez un message à quelqu'un qui se trouve dans le même domaine que le vôtre (sur la même machine ou sur le même groupe de machines), vous pouvez omettre le nom de domaine. Par exemple, si un de vos amis et vous-même êtes sur AOL, vous pouvez supprimer @aol.com de son adresse *e-mail*.

Si vous ne connaissez pas votre adresse électronique, le meilleur moyen est de la demander par téléphone à l'assistance de votre fournisseur d'accès.

Où se trouve mon courrier ?

Lorsque des messages arrivent à votre intention, ils ne vont pas pouvoir parvenir directement sur votre machine puisque vous n'êtes pas connecté en permanence. Ils seront reçus par un *serveur de courrier arrivé* (aussi appelé *serveur POP3*[1]), qui va jouer le rôle de bureau de poste et garder votre courrier jusqu'à ce que vous alliez le récupérer en lançant votre mailer après vous être connecté. Parallèlement, pour que votre courrier parte vers sa destination, votre *mailer* doit le faire parvenir au bureau de poste de votre fournisseur d'accès (à son *serveur de courrier départ*, aussi appelé *serveur SMTP*[2]). Tout se

---

[1]   Post Office Protocol.

[2]   Simple Mail Transfer Protocol.

passe donc comme s'il n'y avait pas de facteur et que vous deviez aller vous-même déposer et recevoir votre courrier au bureau de poste local.

Si vous avez opté pour un système de courrier électronique par le Web, c'est avec votre navigateur que vous irez lire votre courrier. Dans le cas général, c'est depuis le serveur de courrier entrant de votre fournisseur d'accès que votre logiciel de messagerie va transférer le courrier en attente vers votre propre disque dur. Ensuite, vous vous déconnecterez pour lire tranquillement vos messages.

Il existe un très grand nombre de logiciels de courrier électronique qu'on appelle des *mailers*. Tous font peu ou prou la même chose. Voici un aperçu de ce qui existe :

- ✓ **PC/Windows ou Macintosh avec un compte Internet :** Les plus répandus des logiciels de courrier électronique sont Eudora, Netscape Messenger (livré avec la suite Netscape Communicator) et Outlook Express (livré avec Internet Explorer et Windows 98). Citons encore Pegasus, disponible gratuitement, peut-être un peu plus complexe à manipuler.

- ✓ **America Online (AOL) :** Le pack AOL comprend un logiciel de courrier intégré qui est le seul que les abonnés d'AOL puissent utiliser.

- ✓ **Serveurs Web de courrier électronique :** Il existe quelques serveurs Web qui vous offrent un accès gratuit à un service de courrier électronique. Les plus connus sont Hotmail (`www.hotmail.com`) et Yahoo Mail (`mail.yahoo.com`). Si vous disposez d'une boîte aux lettres sur l'un de ces sites, vous utiliserez votre navigateur Web pour lire et envoyer des messages.

Quel que soit le type de logiciel que vous employez, les principes généraux de lecture, d'envoi, de classement de messages et d'adressage restent les mêmes ; aussi est-il intéressant de continuer à lire ce chapitre, même si le système dont vous vous servez n'y figure pas explicitement.

Quatre mailers très utilisés

Nous allons décrire ci-après quatre des logiciels de courrier électronique les plus utilisés[3].

---

[3]. Abonnés à AOL, rien de ce que nous allons dire dans cette section ne peut vous intéresser.

✔ **Eudora Light :** Il s'agit d'un logiciel prévu pour fonctionner sous Windows et Macintosh. Il est populaire pour deux raisons : il est simple d'emploi et gratuit dans sa version limitée (Eudora Light) tout à fait suffisante dans la très grande majorité des cas. Les exemples que nous donnerons ici ont été illustrés avec Eudora Light mais sont aussi valables pour la version Pro. Les deux versions peuvent être téléchargées à l'URL www.eudora.com.

✔ **Netscape Messenger :** Sans avoir tous les raffinements d'Eudora, c'est néanmoins un produit assez facile à utiliser et qui présente l'avantage de faire un tout avec le navigateur. Un seul logiciel suffit donc pour accomplir les deux fonctions (trois, en réalité, parce qu'il comporte aussi un lecteur de news). Ce chapitre décrit la version de Netscape Messenger fournie avec Netscape Navigator version 4.7.

✔ **Outlook Express :** Avec Windows 98, Microsoft propose Outlook Express qui accompagne Internet Explorer 5.0.

Ne confondez pas Outlook Express avec Outlook 97, Outlook 98 et Outlook 2000, qui font partie de Microsoft Office.

Lorsque vous installez Eudora, Netscape Messenger ou Outlook Express, vous devez paramétrer votre programme avec les informations que nous avons énumérées à la section *Rassemblons le tout*. Pour modifier plus tard ces paramètres, dans Eudora (version anglaise), vous cliquerez sur Tools/Options ; avec Netscape Messenger, sur Edition/Préférences ; avec Outlook Express, sur Outils/Comptes.

Le problème des caractères accentués

Nombre de messages que l'on peut voir circuler sur le Net sont totalement dépourvus de ces caractères accentués qui font le charme de notre langue et la perplexité des étrangers. N'oublions pas que l'Internet et le courrier électronique ont été créés par un peuple qui ignore ce qu'est un signe diacritique. Pour ne rien arranger, la représentation interne des caractères accentués est différente selon le code utilisé (ANSI, ASCII... ou autre).

Mais ce n'est pas pour autant qu'il est impossible d'écrire en bon français avec de bons accents en bonne place. Il faut, pour cela, que les *mailers* soient capables de gérer un procédé de codification appelé MIME et, en outre, que les utilisateurs de ces logiciels sachent les paramétrer correctement.

Alors, pour être sûr de rester intelligibles, beaucoup de nos compatriotes ont pris la (regrettable) habitude de ne plus utiliser du tout de caractères accentués. C'est plus que dommage !

Envoi de courrier

Il est si facile d'envoyer du courrier électronique que, au lieu de vous expliquer le processus théorique, nous allons vous donner directement quelques exemples.

Avec Eudora

Voici la marche à suivre pour envoyer du courrier électronique avec Eudora :

1. **Commencez par lancer Eudora**. Pour cela, double-cliquez (sous Windows) ou cliquez (avec un Macintosh) sur son icône. Vous voyez s'afficher une fenêtre de présentation qui disparaît au bout de quelques secondes, remplacée par ce que vous montre la Figure 11.1.

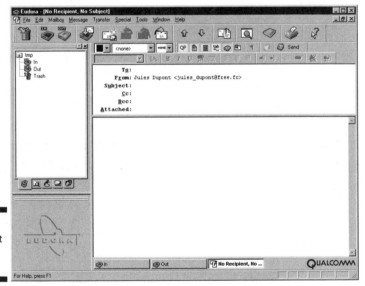

Figure 11.1 :
Eudora Light
en pleine
action.

2. **Pour envoyer un message, cliquez sur Message/New message ou tapez <Ctrl>+<N>**. Vous pouvez aussi cliquer sur le cinquième bouton de la barre d'outils à partir de la gauche.

3. **Sur la ligne marquée To, tapez l'adresse** *e-mail* **du destinataire.** arturo.ui@wanadoo.fr, par exemple.

4. **Appuyez sur <Tab> pour passer à la ligne marquée Subject.** La ligne From a été automatiquement complétée en partant des éléments de configuration que vous avez fournis préalablement, une fois pour toutes. Soyez bref. En général, un mot suffit ; cinq, c'est déjà trop.

5. **Appuyez plusieurs fois sur Tab pour sauter les champs Cc: et Bcc: (à moins que vous ne souhaitiez envoyer des copies de votre message à d'autres destinataires).** "Cc:" permet d'envoyer une copie de votre message à quelqu'un d'autre. Le destinataire principal saura à qui est envoyée cette copie. "Bcc" signifie que le destinataire principal ne saura pas qu'une copie a été envoyée à quelqu'un.

6. **Appuyez encore une fois sur Tab pour parvenir à la zone vierge de grande taille qui va contenir le texte de votre message.** Il ne vous reste plus qu'à y taper votre message.

7. **Pour envoyer le message, cliquez sur le bouton Send** *(envoyer)* **situé à l'extrême droite de la deuxième rangée de boutons.**

8. **Pour cela, si l'ordinateur n'est pas connecté à l'Internet, lancez le processus de connexion sur votre fournisseur d'accès.**

Une fois un message parti, il n'y a plus moyen de l'arrêter.

Même chose avec Netscape Messenger

Pour envoyer des messages avec Netscape Messenger, il n'y a pas tellement de différences. Voici la marche à suivre :

1. **Lancez Netscape Messenger.** Cliquez ensuite sur Communicator Messenger ou tapez <Ctrl>+<2>. La première fois, un assistant va afficher une suite de boîtes de dialogue grâce auxquelles vous allez pouvoir configurer Messenger.

2. **Pour composer un message, cliquez sur le bouton marqué Nouveau msg de la barre d'icônes ou appuyez sur les touches <Ctrl>+<M>.** Une fenêtre de composition de message s'affiche.

3. **Complétez les boîtes de saisie qui correspondent au destinataire, au sujet et au corps du message.**

4. **Cliquez sur Envoyer.** Votre message est aussitôt expédié.

Envoi de courrier avec Outlook Express

La première fois que vous démarrez Outlook Express 5.0, un assistant vous pose une série de questions. Reportez-vous au Chapitre 5 pour savoir comment définir une connexion Internet. Outlook Express est capable de gérer plusieurs boîtes aux lettres. Grâce à la commande Outils/Comptes, vous pouvez définir les paramètres d'une ou de plusieurs autres boîtes aux lettres.

Voici comment envoyer un message :

1. **Lancez Outlook Express. Inutile de vous connecter préalablement à votre fournisseur d'accès.** Avec Windows 32 bits, cliquez sur l'icône du programme dans la zone immédiatement à droite du bouton Démarrer. La partie gauche de la fenêtre qui s'affiche (voir la Figure 11.2) présente une liste de dossiers, les en-têtes de messages dans la partie supérieure droite et le texte du message sélectionné dans la partie inférieure droite.

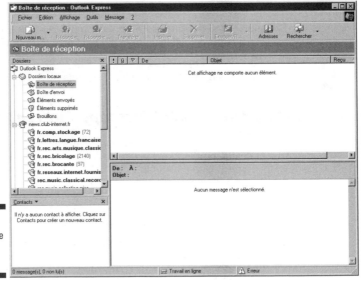

Figure 11.2 :
La fenêtre de
Outlook
Express.

2. **Cliquez sur le dossier Boîte de réception, dans la colonne de gauche.** La première fois que vous démarrez le programme, il

risque de lancer l'Assistant de connexion Internet pour vous poser quelques questions relatives à votre compte de courrier électronique. Remplissez les champs appropriés pour indiquer votre nom, votre adresse e-mail, comment vous connecter à votre fournisseur, etc. Lorsque vous avez terminé, la fenêtre Boîte de réception apparaît de nouveau.

3. **Cliquez sur le bouton Nouveau message de la barre d'outils (le premier bouton à gauche), sur Message/Nouveau message dans la barre de menus ou tapez <Ctrl>+<N>.** La fenêtre Nouveau message s'affiche, avec des zones à compléter afin d'adresser le message.

4. **Dans la zone A:, indiquez l'adresse du destinataire puis appuyez sur la touche <Tab>.** N'appuyez pas sur Entrée, sauf si vous voulez ajouter un second destinataire pour votre message.

5. **Si vous voulez envoyer une copie de votre message, tapez l'adresse *e-mail* du destinataire dans le champ Cc:. Appuyez ensuite sur la touche <Tab> et, dans le champ Objet:, indiquez le sujet du message. Appuyez derechef sur <Tab>.** Le curseur clignote alors dans la zone du message constituée par la moitié inférieure de la fenêtre.

6. **Tapez le texte de votre message dans cette zone.**

7. **Pour envoyer le message, cliquez sur le bouton Envoyer (le plus à gauche de la barre d'outils).** Outlook Express place votre message dans le dossier Boîte d'envoi. Si vous êtes connecté, le message part immédiatement, et vous pouvez sauter les deux étapes suivantes.

8. **Connectez-vous à votre fournisseur d'accès si ce n'est déjà fait.**

9. **Cliquez sur le bouton Envoyer et recevoir tout de la barre d'outils ou choisissez, dans la barre de menus, Outils/Envoyer et recevoir/Envoyer tout.** Votre message est expédié.

Réception du courrier

Si vous envoyez des messages, il y a gros à parier que vous allez en recevoir.

Avec Eudora

Un des nombreux avantages d'Eudora est de vous permettre de faire beaucoup de choses avec votre courrier sans que vous soyez connecté. Mais, si vous voulez savoir si vous avez reçu du courrier, vous devez évidemment vous connecter.

Pour simplifier les manipulations, précisez, lorsque vous installez Eudora, que votre mot de passe de courrier électronique doit être mémorisé.

Voici la marche à suivre pour obtenir votre courrier :

1. **Lancez Eudora.**

2. **Connectez-vous à votre fournisseur d'accès si ce n'est déjà fait.**

3. **Cliquez sur la quatrième icône à partir de la gauche de la barre d'outils ou tapez <Ctrl>+<M>.** Les en-têtes de courrier (expéditeur, date, sujet) s'affichent dans la boîte d'arrivée (In) à raison d'une ligne par message.

4. **Pour lire un message, double-cliquez sur la ligne de son en-tête.** Vous pouvez aussi sélectionner cette ligne (au moyen de la souris ou des touches flèches), puis taper sur Entrée. Pour refermer la fenêtre contenant un message, vous pouvez double-cliquer sur le bouton de fermeture de sa fenêtre ou taper <Ctrl>+<W> ou <Ctrl>+<F4>.

Il existe d'autres possibilités de manipulation des messages sur lesquelles nous reviendrons au Chapitre 12. Pour le moment, vous en savez assez.

Lecture de courrier avec Netscape Messenger

La lecture du courrier avec Netscape Messenger ressemble beaucoup à la façon de procéder avec Eudora.

1. **Lancez Netscape Messenger.** La fenêtre, illustrée Figure 11.3, apparaît.

2. **Netscape peut tenter de récupérer spontanément le courrier en attente. Si ce n'est pas le cas, cliquez sur le bouton Retirer Msg.** Le courrier reçu est conservé dans le dossier Inbox. La liste située à gauche de la fenêtre de Netscape Messenger affiche vos dossiers (sous l'en-tête Courrier local), avec un dossier (généralement Inbox) sélectionné. La partie inférieure droite de la fenêtre affiche le contenu du message sélectionné.

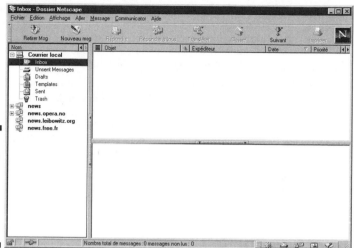

Figure 11.3 :
La fenêtre de
Netscape
Messenger
(la boîte de
réception –
inbox – est
vide).

3. **Si le dossier Inbox n'est pas sélectionné dans la liste disponible, cliquez dessus. S'il n'est même pas affiché, cliquez sur Courrier local pour le faire apparaître, puis cliquez sur le dossier Inbox.** Vous pouvez alors lire les sujets de chacun des messages arrivés dans la partie supérieure droite de la fenêtre.

4. **Cliquez sur le sujet d'un message pour lire son texte.** Le message s'affiche alors dans la partie inférieure de la fenêtre.

Lorsque le texte d'un message est affiché, vous pouvez l'imprimer, le supprimer ou le rediriger à l'aide de certains boutons sur lesquels nous reviendrons au Chapitre 12.

Lecture de courrier avec Outlook Express

Avec Outlook Express 5.0, voici comment lire votre courrier :

1. **Lancez Outlook Express et connectez-vous à votre FAI.**

2. **Cliquez sur le bouton Envoyer et recevoir tout dans la barre d'outils.** Les messages en attente sont alors transférés dans le dossier Boîte de réception. La liste des dossiers est affichée à gauche de la fenêtre et vous pouvez y choisir le dossier que vous voulez examiner. Pour le moment, intéressez-vous au dossier intitulé Boîte de réception.

La partie supérieure droite de la fenêtre indique l'origine des messages (De), leur sujet (Objet) et leur date d'arrivée (Reçu). La partie inférieure de la fenêtre contient le texte du message sélectionné. La place attribuée à chacune des zones peut être modifiée avec le pointeur de la souris.

3. **Pour voir le texte d'un message, il suffit de cliquer sur son en-tête affiché dans la partie supérieure de la zone de fenêtre.** Vous pouvez aussi l'afficher dans une nouvelle fenêtre séparée en double-cliquant sur cet en-tête. Pour refermer cette fenêtre, cliquez alors sur le bouton de fermeture ou sur Fichier/Fermer. Vous pouvez aussi taper <Alt>+<F4>.

Une fois le texte d'un message affiché, vous pouvez l'imprimer, le supprimer ou le rediriger à l'aide de certains boutons de la barre d'outils (que nous étudierons au Chapitre 12).

La netiquette de l'e-mail

Ce qui tient lieu, sur l'Internet, de manuel de savoir-vivre, c'est ce qu'on appelle la *netiquette* (contraction de *Net* et *étiquette*).

Le courrier électronique est quelque chose qui se situe entre un coup de téléphone et une simple lettre. D'un côté, c'est un moyen d'information rapide et informel, de l'autre on ne doit pas oublier que *verba volent, scripta manent* (les paroles s'envolent, les écrits restent). Aussi, ces quelques conseils vous seront utiles :

- ✔ Lorsque vous envoyez un message, surveillez votre langage.

- ✔ En dehors de la première lettre de chaque phrase, n'utilisez pas de majuscules ; ce serait comme si vous vous mettiez à CRIER.

- ✔ Si quelqu'un vous envoie un message particulièrement agressif, voire grossier, gardez-vous bien d'y répondre immédiatement sur le même ton. Regardez tout d'abord s'il ne s'agirait pas d'une forme d'ironie déguisée (rare mais possible).

Descente en "flame"

L'usage d'un langage châtié n'est pas fréquent sur le Net où il faut bien reconnaître que l'on côtoie davantage de rustres que de gens civilisés. En outre, beaucoup de ceux qui fréquentent l'Internet ne savent pas manier leur langue mieux que leur clavier. Il en résulte donc trop souvent des propos peu courtois que votre interlocuteur n'oserait probablement pas tenir en face de vous. Mais le courrier électronique, c'est comme la CB *(Citizen Band)*, il est facile de s'y comporter en anonymographe, à l'abri du couple clavier-écran.

Cet état d'esprit a un nom : *flame*, qui a le même sens que son homophone français avec deux "m" : s'enflammer, se mettre en colère, bouillir d'indignation...

Lorsque la moutarde vous monte au nez à la lecture d'un message particulièrement odieux ou insultant, laissez décanter et, surtout, gardez-vous bien d'y répondre illico. Peut-être l'expéditeur ne s'est-il pas rendu compte de la portée de ce qu'il écrivait ? Peut-être s'en est-il rendu compte trop tard et se ronge-t-il les ongles en pensant à la façon dont vous allez réagir ? Depuis une vingtaine d'années que nous pratiquons le courrier électronique, nous n'avons jamais, au grand jamais, regretté d'avoir laissé refroidir un message avant d'y répliquer (mais nous avons parfois regretté d'en avoir envoyé quelques-uns).

N'oubliez pas que lorsque le destinataire lit votre message, il n'a aucun moyen de savoir quelles étaient vos intentions. Aussi risque-t-il de prendre vos propos au pied de la lettre. Tout le monde n'a pas le sens de l'humour et votre interlocuteur n'a peut-être pas l'intelligence nécessaire pour percevoir les sous-entendus de vos propos.

Souriez !

Pour que vous puissiez mettre de l'expression dans vos missives, on a créé les *smileys* (appelés aussi *emoticons* par les Américains et *souriards* par les Québécois) qui servent, en quelque sorte, à marquer l'intonation d'une phrase.

Ce sont de petits graphismes composés de quelques signes de ponctuation et qu'on est censé lire en penchant la tête de côté vers la gauche. En voici un exemple :

```
Les gens ont du mal à croire que nous formons une communauté
qui ne songe qu'à s'aimer et à s'entraider :-).
```

Certes, les smileys ajoutent de l'expression au texte. Mais si une plaisanterie a besoin de cet appui, peut-être manque-t-elle de sel ?

Courrier électronique et intimité

Mieux vaut ne pas confier de secret d'Etat au courrier électronique. Tout destinataire peut faire suivre votre message à qui il veut.

Certaines adresses sont en réalité celles de listes de diffusion *(mailing lists)* qui redistribuent ce qu'elles reçoivent à toute une communauté.

Si vous envoyez du courrier depuis votre bureau ou à quelqu'un sur son lieu de travail, votre courrier n'aura rien de privé. En règle générale, les entreprises et leurs employés ne cherchent jamais à lire les messages privés, mais certaines situations peuvent pousser les dirigeants à examiner le courrier de l'entreprise.

La loi française considère comme une violation du secret de la correspondance toute tentative de lecture par une entreprise du courrier électronique personnel. Sauf si elle a pris la précaution de faire signer par ses collaborateurs une "charte" dans laquelle ils sont prévenus qu'ils ne doivent pas utiliser ce moyen de communication à leur usage personnel (jurisprudence datant de 2000).

La règle non écrite consiste à ne jamais envoyer un message que vous ne voudriez à aucun prix voir rediffusé. On commence à utiliser des procédés de chiffrement, et en particulier PGP (système à clé publique et clé privée), qui permettent d'être raisonnablement sûr que personne d'autre que le destinataire ne pourra comprendre ce que vous avez envoyé. Les "curieux" n'y verront qu'une suite de caractères absolument incohérente.

Dura lex, sed lex

La législation française, auparavant très stricte sur l'emploi des techniques de chiffrement est en train de s'assouplir. Pour connaître l'état exact de la législation, on pourra consulter la page Web située à l'URL `www.scssi.gouv.fr/rubriq/direction.html`. De son côté, la page `www.scssi.gouv.fr/present/chiffre/liste.html` donne la liste des produits cryptologiques libres d'utilisation et d'importation ou autorisés[4]. Pour élargir vos connaissances à l'état de la législation pour l'Europe politique, consultez la page située à l'URL `www.freenix.fr/netizen/chiffre/ch-index.html`. En tout état de cause, évitez la page `www.cnam.fr/reseau/Crypto/` qui est totalement périmée.

[4.] SCSSI est l'ancien nom de la DCSSI qui signifie "Direction centrale de la sécurité des systèmes d'information". Cette direction est rattachée au SGDN (secrétariat général de la Défense nationale), organisme dépendant directement du Premier ministre. (N.d.T.)Quelques logiciels de courrier

TRUC

BTW, que signifie IMHO ?

Certains habitués du courrier électronique aiment bien employer des abréviations. Souvent parce que moins ils tapent de caractères et mieux ils se portent. En voici quelques-unes qui ont traversé telles quelles l'océan :

Abréviation	Traduction anglaise	Traduction française
BTW	By The Way	À propos
IMHO	In My Humble Opinion	J'en suis absolument certain
RSN	Real Soon Now	Sans doute jamais
RTFM	Read The Fucked Manual	Lisez le foutu manuel
TIA	Thanks In Advance	Merci d'avance
TLA	Three Letter Acronym	Abréviation en trois lettres

Chapitre 12
Une place pour chaque chose

Dans ce chapitre :

▶ Suppression de messages.

▶ Comment répondre aux messages.

▶ Faire suivre et réexpédier des messages.

▶ Comment détecter et éviter les chaînes et autres boules de neige.

▶ Les pièces jointes.

▶ Echange de courrier avec des robots et des fax.

▶ Le spam, ce fléau.

Maintenant que vous savez comment envoyer et recevoir du courrier électronique, nous allons pouvoir approfondir certains détails afin de vous transformer en véritable aficionado. Nous parlerons plus longuement d'Eudora Light 5.0, de Netscape Messenger 4.7 et d'Outlook Express 5.0, les mailers que nous vous avons présentés au Chapitre 11.

Lorsque vous avez lu un message, que pouvez-vous en faire ?

✔ Le jeter.

✔ Y répondre.

✔ Le faire suivre à quelqu'un d'autre.

✔ Le classer.

Si votre mailer range automatiquement les messages dans une boîte aux lettres spécifique ayant un nom particulier, n'oubliez pas d'aller voir ce qu'il y a dedans au moins une fois par semaine, faute de quoi elle enflerait démesurément.

Suppression de messages

Il est tellement facile de supprimer des messages inutiles que vous avez sans doute déjà découvert comment procéder. Sous Windows, avec Eudora, cliquez sur l'en-tête d'un message pour le sélectionner, puis cliquez sur l'icône de la poubelle (la plus à gauche de la barre d'outils) ou bien tapez <Ctrl>+<D> ou encore appuyez tout simplement sur la touche <Suppr>. Sur un Mac, cliquez sur le message puis appuyez sur <Suppr>. Avec Netscape Messenger et Outlook Express, sélectionnez le message puis cliquez sur le bouton <Supprimer> ou appuyez sur la touche <Suppr>.

Vous pouvez même supprimer des messages que vous n'avez même pas lus, mais que vous identifiez seulement au vu de leur origine et/ou de leur sujet. Il vous sera généralement demandé de confirmer cette suppression.

Réponse à un message

Avec Eudora, rien de plus simple. Le message étant affiché dans la fenêtre, tapez <Ctrl>+<R> ou cliquez sur la cinquième icône de la barre d'outils en partant de la gauche, sinon cliquez sur Message/Répondre. Avec Outlook Express, cliquez sur l'icône Répondre à l'expéditeur, tapez <Ctrl>+<R> ou cliquez sur Message/Répondre à l'expéditeur. Notez deux points importants :

- ✔ **A qui doit aller la réponse ?** Regardez bien le champ To : (ou A :) déjà complété. Est-ce bien à cette adresse que vous voulez envoyer votre réponse ? En particulier, si le message venait d'une liste de diffusion, est-ce bien à toute la communauté des abonnés à la liste que vous voulez répondre ? Si le message est adressé à une liste détaillée de destinataires, vérifiez que vous ne voulez ni exclure ni ajouter quelqu'un.

- ✔ **Editez le contenu du message auquel vous répondez.** C'est par paresse, sans-gêne ou laisser-aller que trop de gens se contentent de coller leur réplique au bas du message original. Encore heureux s'ils ne la placent pas *avant* le message ! Si l'auteur du message a posé plusieurs questions dans son texte, insérez vos réponses entre chacune d'elles. Ne tombez pas dans l'excès contraire consistant à répondre à un message sans rien reprendre du tout de son contenu original.

Lorsque vous répondez à un message, votre mailer ajoute le préfixe `Re:` devant le sujet original du message[1].

Gardez la trace de vos amis

Vous allez souvent correspondre avec les mêmes personnes. Plutôt que de mémoriser des adresses électroniques parfois ésotériques, placez-les donc dans le carnet d'adresses virtuel que gère chaque mailer. Pour les repérer, vous leur donnerez un *alias*, sorte de raccourci facile à mémoriser. Par exemple, l'adresse *e-mail* de votre ami Jules qui est `markwyuwoch@machin.univ-2.tourcoing.fr` sera repérée plus simplement par `jules`. Quand vous voudrez lui envoyer un message, il vous suffira de choisir `jules` dans le carnet d'adresses en choisissant New Message to (au lieu de New Message) dans le menu Message. Vous pouvez aussi créer des *listes* d'adresses sous un alias unique.

Tous les logiciels de courrier vous permettent de copier dans votre carnet d'adresses l'adresse d'un message que vous venez de lire, d'utiliser les adresses que vous avez enregistrées et de modifier votre carnet d'adresses.

Le carnet d'adresses de Netscape

Lorsque vous lisez un message, vous pouvez ajouter l'adresse de l'expéditeur à votre carnet en cliquant sur Message/Ajouter l'expéditeur au carnet d'adresses. Dans la fenêtre qui s'affiche, complétez les champs en blanc et cliquez sur OK. Pour utiliser plus tard ces raccourcis, lorsque vous créez un nouveau message, cliquez sur le bouton Adresse de la fenêtre de rédaction et sélectionnez le ou les adresses de votre carnet personnel, puis cliquez sur OK.

Pour éditer votre carnet d'adresses, choisissez Communicator/Carnet d'adresses. Vous pouvez ajouter les coordonnées d'une nouvelle personne en cliquant sur le bouton Nouvelle carte. Pour créer une liste de diffusion, cliquez sur le bouton Nouvelle liste. Faites ensuite glisser les adresses existantes dans la liste.

---

[1]. "Re" est l'abréviation de *regarding* (concernant) et non de *reply* (réponse), comme on serait tenté de le penser. (N.d.T.)

Le carnet d'adresses d'Eudora

Eudora vous propose également de profiter des fonctions d'un carnet d'adresses. Cliquez sur Special/Make Address Book Entry ou tapez <Ctrl>+<K>. Eudora vous propose d'utiliser le nom de la personne comme pseudonyme, ce qui est généralement une bonne solution. Cliquez ensuite sur OK.

Pour recourir au carnet d'adresses à l'occasion de l'envoi d'un message, cliquez sur l'icône Address Book de la barre d'outils (la troisième à partir de la **droite**) ou tapez <Ctrl>+<L>. Dans la fenêtre du carnet d'adresses, cliquez sur l'alias que vous voulez utiliser, puis sur le bouton To:, Cc: ou Bcc: afin d'ajouter l'adresse sélectionnée au message.

Pour ajouter une personne dans votre carnet, cliquez sur le bouton Address Book, puis sur le bouton New. Tapez le nom de la personne, puis cliquez sur OK. Ce nom apparaît dans votre liste de pseudony-mes. Tapez ensuite l'adresse électronique de cette personne dans le champ correspondant. Pour créer une liste d'adresses, créez un nouveau nom et tapez les différentes adresses dans la zone Address(es). Vous pouvez également sélectionner des adresses à partir des messages reçus (appuyez sur la touche <Ctrl> et cliquez en même temps sur chaque message pour sélectionner plusieurs adresses), puis appuyez sur <Ctrl>+<K> afin de créer une nouvelle entrée qui contiendra les adresses de tous les auteurs des messages sélectionnés.

Le carnet d'adresses d'Outlook Express

Pour copier l'adresse d'un correspondant dans le carnet d'adresses proposé par Outlook Express, cliquez avec le bouton droit de la souris sur le nom de l'expéditeur dans la liste des en-têtes de messages puis, dans le menu contextuel, cliquez sur Ajouter l'expéditeur au carnet d'adresses.

Pour afficher et modifier votre carnet d'adresses, cliquez sur le bouton Adresses de la barre d'outils. Pour utiliser les entrées de votre carnet d'adresses lors de la rédaction d'un nouveau message, cliquez sur le petit bouton A: ou Cc: figurant un livre ouvert. Dans la fenêtre Sélectionner les destinataires qui apparaît, double-cliquez sur une ou plusieurs entrées du carnet selon le nombre de destinataires à qui vous voulez envoyer votre message, puis cliquez sur OK.

Réexpédition de messages

On peut réacheminer un message de deux façons : l'envoyer tel qu'on l'a reçu à un autre destinataire *(redirect)* ou l'englober à l'intérieur d'un autre message *(forward)*. Nous allons commencer par étudier cette seconde possibilité.

Avec Eudora, cliquez sur Message/Forward dans le menu principal. Avec Netscape, choisissez Message/Transférer. Avec Outlook Express, cliquez sur l'icône Transférer de la barre d'outils. Le mailer compose un message vide dans lequel il place le texte du message que vous voulez faire suivre ; il ne vous reste plus qu'à indiquer l'adresse du destinataire et à ajouter éventuellement quelques commentaires avant de l'envoyer.

Alors que Eudora et Outlook Express reprennent le texte du message reçu, Netscape n'en fait rien et considère le message à transférer comme un *fichier joint* à votre message (dont nous reparlerons plus loin).

Si vous voulez simplement faire suivre tel quel, sans commentaire, le message reçu tout en conservant l'adresse de l'émetteur original, c'est sur Message/Redirect que vous devez cliquer. Eudora ajoute une petite note de façon que le nouveau destinataire sache comment lui est parvenu le message. Ni Netscape ni Outlook Express ne proposent cette fonction.

Classement du courrier

Il existe plusieurs façons d'archiver les messages que vous avez reçus :

- ✔ Sauvegarde dans un dossier particulier.
- ✔ Sauvegarde dans un fichier ordinaire.
- ✔ Impression et classement dans un véritable classeur à papiers.

La façon la plus simple est sans doute de les déplacer dans un dossier particulier où vont s'accumuler les messages que vous désirez conserver. Bien entendu, ils restent séparés les uns des autres et vous pouvez toujours retrouver celui qui vous intéresse.

Il y a deux approches de classement possibles : par auteur ou par sujet. C'est affaire de goût. Pour le classement par sujet, c'est à vous de décider des sujets qui vous intéressent. Dans tous les cas, prévoyez un classeur fourre-tout appelé "divers". Choisissez des noms de dossiers en rapport avec votre activité normale : comptabilité, assurances, sécurité, banque, escroquerie, vampirisme...

Si vous utilisez un Macintosh ou un PC sous Windows, vous pouvez sauvegarder tout ou partie d'un message en le recopiant dans un fichier texte. Sélectionnez le texte du message avec votre souris et faites un couper/coller (<Ctrl>+<C> suivi de <Ctrl>+<V> avec Windows).

Le classement avec Eudora

Cliquez sur le message et choisissez Transfer dans la barre de menus. Un menu se déroule, dans lequel figurent les noms de toutes les boîtes aux lettres existantes. Cliquez sur celle dans laquelle vous voulez placer votre message. Pour créer une nouvelle boîte aux lettres, cliquez sur Transfer/New.

Pour voir la liste des messages contenus dans une boîte aux lettres, double-cliquez sur le nom de cette boîte aux lettres dans la colonne de gauche.

Pour créer un fichier texte à partir d'un message, cliquez sur ce message, cliquez sur File/Save As dans la barre de menus, sélectionnez le dossier dans lequel vous voulez placer le message, donnez un nom au fichier et cliquez sur OK.

Le classement avec Netscape

Cliquez sur Message/Déplacer message dans la barre de menus. Dans la liste qui s'affiche, cliquez sur le classeur de destination. Vous pouvez également cliquer avec le bouton droit de la souris sur le message, choisir l'option Déplacer le message, puis sélectionner le nouveau dossier dans le sous-menu. Pour créer un nouveau dossier, choisissez Fichier/Nouveau dossier. Vous pouvez même sélectionner le message et le faire glisser directement vers un dossier de votre liste.

Pour enregistrer un ou plusieurs messages sous forme de fichier texte, sélectionnez le ou les messages et choisissez Fichier/Enregistrer sous/ Fichier. Dans le champ Type, choisissez ensuite Texte brut (*.txt) dans la liste proposée. Tapez un nom de fichier, puis cliquez sur le bouton Enregistrer.

Méfiez-vous des chaînes

Vous connaissez sans doute ce genre de correspondance qu'on vous demande de faire suivre, sous un prétexte fallacieux, parfois déguisé en bonne action ou en profit espéré. Gardez-vous bien de propager ces messages. N'hésitez pas à rompre la chaîne.

De temps en temps, tel le monstre du Loch Ness, quelques thèmes récurrents montrent le bout de leur nez et il se trouve toujours des innocents pour se hâter de les propager. En voici quelques exemples classiques :

Le virus Good Times. Fin décembre 94, un message est apparu sur AOL sous la forme d'un avertissement signalant l'apparition d'un nouveau virus informatique capable d'effacer votre disque dur et qui se répandait par le courrier électronique. Il était censé arriver sous forme d'un message ayant pour sujet "Good Times" (les bons moments, la belle époque...). On prétendait qu'il suffisait de le lire, c'est-à-dire de demander à votre mailer d'afficher son contenu pour qu'il s'introduise dans votre machine et commence à y exercer ses ravages. Ce message (pas le virus !) se répandit très rapidement. L'enfer est pavé de bonnes intentions ! Les experts en virus furent prompts à réagir et à expliquer qu'un simple fichier texte était incapable de colporter un virus parce que, pour cela, il fallait exécuter un programme[2]. Tous ne les crurent pas et l'inquiétude fut longue à disparaître. A peu près tous les ans ce même canular réapparaît en France et continue à faire des victimes, y compris dans certains établissements publics à vocation scientifique où l'on s'attendrait à plus de discernement.

Gagnez beaucoup de sous avec une chaîne. C'est ce qu'on appelle des lettres MMF (*Make Money Fast* : gagnez vite de l'argent). Habituellement signés par un incertain Christopher Erikson, ces messages reproduisent des "témoignages" de ceux qui en ont bénéficié et vous demandent d'envoyer 5 dollars à celui qui est en tête de la liste, de placer votre nom en queue de liste et d'envoyer à votre tour le message à d'autres bonnes poires. Parfois, vous pourrez même lire en tête : "Ce n'est pas une chaîne." D'une part, ce genre de correspondance est illégal (boule de neige). D'autre part, leur seul effet garanti est d'embouteiller encore un peu plus l'Internet.

De grandes entreprises vous enverront de l'argent pour lire des mails. Ce message a circulé avec comme expéditeur supposé Disney ou Microsoft. Il prétend que l'entreprise effectue un test de marketing et que vous pouvez gagner des dollars ou un voyage à Disneyland en faisant suivre le message.

---

[2]. Depuis, on a eu l'occasion de découvrir que, sans remettre strictement en cause cette affirmation, un virus pouvait néanmoins se transmettre par certains fichiers texte pour peu qu'ils contiennent – comme c'est le cas avec WinWord (le traitement de texte de Microsoft) – des macros pouvant s'exécuter automatiquement dès l'ouverture du fichier. Or, ces macros sont écrites dans un puissant BASIC qui autorise une forte interaction avec le système d'exploitation et permet, effectivement, de causer des dégâts sur les disques durs. (N.d.T.)

Méfiez-vous des chaînes (suite)

Un abominable virus va saccager votre ordinateur. Parfois, cela peut être vrai.
Exemple, le virus "I love you". Mais surtout avec des mailers comme Outlook Express
qui sont sensibles aux méthodes de propagation employées dans ce cas.

Le classement avec Outlook Express

Pour enregistrer un message dans Outlook Express, placez-le dans un
dossier. Vos dossiers par défaut sont les habituels Boîte de réception,
Boîte d'envoi, Eléments envoyés et Eléments supprimés. Pour créer un
nouveau dossier, choisissez Fichier/Nouveau/Dossier dans la barre de
menus. Indiquez le nom que vous voulez donner à ce dossier dans la
fenêtre qui s'affiche et cliquez sur OK. Le nouveau dossier apparaît
parmi la liste des dossiers proposés à gauche de la fenêtre. Pour
placer un message dans un dossier, il suffit de cliquer sur son en-tête
et de le faire glisser sur le dossier voulu. Vous pouvez également
passer par la commande Edition/Déplacer vers un dossier. Pour
afficher la liste des en-têtes de messages d'un dossier, cliquez simplement sur le nom de ce dossier.

Afin de sauvegarder un message sous forme de fichier texte, cliquez
sur ce message, puis sur Fichier/Enregistrer sous. Dans la fenêtre
d'enregistrement qui apparaît, choisissez Texte (*.txt) dans le champ
Type. Sélectionnez ensuite le disque et le répertoire de rangement
comme pour n'importe quel fichier, donnez un nom au fichier et
cliquez sur le bouton Enregistrer.

Les pièces jointes

Il est possible de joindre à un message des fichiers de n'importe quel
type, comme des fichiers d'images. Parfois un message peut être lui-
même dans un format spécial. Il existe trois formes d'envoi de ces
pièces jointes :

- **MIME :** Signifie Multipurpose Internet Mail Extensions (extensions du courrier Internet à usages multiples).

- **Uuencodage :** Méthode créée aux temps anciens pour incorporer des informations variées dans un courrier électronique

envoyé par la procédure UNIX-to-UNIX (d'où le "uu" dans le nom de cette méthode).

✔ **Bin-Hex :** Signifie binaire vers hexadécimal.

L'envoi d'une pièce jointe se fait sans difficulté avec un mailer quelconque que nous étudions. Une fois votre message rédigé, vous choisissez la commande spécifique du mailer servant à joindre un fichier, puis vous envoyez le message comme d'habitude. Bien entendu, il mettra davantage de temps à être expédié.

Lorsque vous recevez un document attaché à un message *e-mail*, c'est votre mailer qui va se charger de le décoder, pour lui restituer son aspect normal, ou alors de le sauvegarder en tant que fichier autonome dans le répertoire que vous aurez choisi. Ensuite, vous pourrez utiliser ce fichier comme n'importe quel autre fichier.

Au Chapitre 18, nous reviendrons sur les différents types de fichiers que vous pouvez trouver en pièces jointes.

Par prudence, si vous recevez un programme exécutable attaché à un document, ne le lancez pas avant de l'avoir passé au détecteur de virus.

Si vous recevez un message contenant une pièce jointe utilisant une méthode d'encodage telle que MIME, UUENCODE ou Bin-Hex que votre mailer ne sait pas comment traiter, cette "pièce" se présente dans votre fenêtre de courrier comme un grand message incohérent. Le mieux est alors de demander conseil au service d'assistance de votre fournisseur d'accès ou à quelqu'un d'autre de compétent.

Les pièces jointes avec Eudora

Pour joindre un fichier à un message envoyé par Eudora, cliquez dans la barre de menus sur Message/Attach Document ou sur la cinquième icône de la barre d'outils, sinon tapez <Ctrl>+<H>. Choisissez alors le fichier à joindre dans la boîte de sélection de fichier qui apparaît. Ici, le mot "document" est pris au sens le plus large et ne signifie pas nécessairement un fichier texte. Eudora Light envoie toujours les fichiers sous forme d'attachements MIME et peut traiter les fichiers reçus selon n'importe laquelle des trois formes décrites plus haut.

Si vous faites glisser un fichier depuis l'Explorateur jusque dans la fenêtre de message du programme Eudora, il va se trouver automatiquement traité comme pièce jointe au message que vous composez. Si vous n'avez pas ouvert de fenêtre de rédaction de message, cela provoquera l'ouverture d'un nouveau message.

Lorsque Eudora reçoit un message auquel est joint un fichier, celui-ci est automatiquement sauvegardé sur disque et vous êtes informé de son nom et de l'endroit où il a été stocké.

Les pièces jointes avec Netscape

Pour joindre un fichier au message que vous rédigez, cliquez sur l'icône Joindre qui se trouve dans la fenêtre de rédaction de message. A la différence des autres logiciels de courrier, Netscape vous permet de joindre n'importe quel fichier ou document pourvu d'une URL.

Quant il s'agit de message reçu, Netscape affiche les pièces jointes qu'il est capable de traiter lui-même (pages Web, images GIF et JPEG). Pour les autres types de fichiers, il affiche une courte description de l'objet sur laquelle vous pouvez cliquer. Il exécute alors un programme approprié pour vous le faire voir ou entendre. S'il n'en a pas pour ce type de fichier, il vous propose de le sauvegarder sur disque ou de lui indiquer quel programme il doit utiliser. Netscape peut traiter les trois méthodes d'attachement.

Les pièces jointes avec Outlook Express

Cliquez sur Insertion/Pièce jointe dans la barre de menus de la fenêtre Nouveau message ou sur l'icône Joindre de la barre d'outils. Sélectionnez ensuite le fichier à joindre et envoyez le message comme à l'accoutumée.

Lorsqu'un message contenant une pièce jointe arrive, une attache trombone s'affiche à côté du message dans la liste des messages reçus et dans le coin supérieur droit du message lorsque celui-ci est affiché. Cliquez sur cette attache trombone pour afficher le nom du fichier et double-cliquez pour afficher son contenu.

Hé, monsieur le robot !

Il n'y a pas forcément une personne physique derrière chaque adresse électronique. On peut y trouver des serveurs de listes (dont nous allons parler au Chapitre 13) et des *robots*, c'est-à-dire des programmes chargés de répondre automatiquement aux messages reçus. Les robots de courrier servent principalement à consulter des bases de données. Vous envoyez un message au robot (considéré comme serveur de courrier) et il entreprend telle ou telle action selon le contenu de votre message. Puis il vous renvoie la réponse qu'il a trouvée. Si, par exemple, vous envoyez un message à `internet7@gurus.com`, le message que vous recevrez en réponse contiendra votre propre adresse électronique.

Leur utilisation la plus fréquente est l'abonnement ou le désabonnement à des listes de diffusion (voir le Chapitre 13). Des entreprises s'en servent pour envoyer des réponses toutes prêtes à des demandes d'informations reçues par courrier électronique.

Options de filtrage

Dès l'instant où vous commencez à envoyer du courrier électronique, vous allez en recevoir en retour. Tout spécialement si vous vous êtes abonné à une ou plusieurs listes de diffusion (voir le Chapitre 13). Par bonheur, la plupart des systèmes de courrier électronique vous offrent des moyens d'endiguer le flot et d'éviter ainsi d'être submergé. Pour cela, on crée, d'une façon ou d'une autre, des *filtres* spécifiant certaines caractéristiques des messages à éliminer ou à archiver dès réception.

- ✔ **Avec Eudora.** Cliquez sur Tools/Filters. Une fenêtre s'ouvre, vous proposant plusieurs façons d'associer les champs d'en-tête d'un message avec des conditions logiques.

- ✔ **Avec Netscape.** Cliquez sur Edition/Filtres du courrier puis, dans la fenêtre Filtres des messages, cliquez sur le bouton Nouveau. La boîte de dialogue qui s'affiche alors vous permet de spécifier les champs que vous utiliserez comme critères de sélection et les conditions logiques à appliquer.

- ✔ **Avec Outlook Express.** Cliquez sur Outils/Règles de message/ Courrier et définissez le filtre que vous voulez créer.

Tout cela vous paraîtra bien compliqué et fort ennuyeux. Si vous ne recevez pas plus de 5 ou 10 messages par jour, vous n'avez pas à vous en préoccuper.

Un seul clic de souris pour surfer

Les récentes versions de Netscape Messenger, Outlook Express et Eudora transforment toutes les URL (adresses de sites Web) trouvées dans un message en liens conduisant directement à cette page. Lorsqu'un lien apparaît dans un message, il suffit alors de cliquer ou de double-cliquer dessus pour charger la page sur laquelle il pointe. Le pointeur de la souris se change en une main lorsqu'il passe sur une URL valide.

L'horreur du spam

Vous avez sans doute déjà déploré de voir votre boîte aux lettres postale se remplir de nombreux prospectus ou documents publicitaires pour la plupart inintéressants. Ce dépôt d'immondices existe également dans le courrier électronique ; on l'appelle *spam*. (Ce nom était à l'origine celui d'une sorte de jambon en conserve.) On le désigne aussi sous le nom de *junk e-mail* (courrier poubelle) ou *UCE* (*unsolicited commercial e-mail*, c'est-à-dire courrier électronique commercial non sollicité). L'archétype de ce genre de message est un texte qui vous promet de vous donner un moyen de vous enrichir rapidement (le MMF dont nous avons parlé plus haut) ou vous propose des documents pornographiques de natures diverses.

C'est actuellement un des problèmes majeurs de l'Internet étant donné le faible investissement que cela représente pour le *spammer* et le très grand nombre de lecteurs potentiels concernés.

Est-ce vraiment si terrible ?

A la différence du courrier postal, vous payez davantage que l'expéditeur. Envoyer du courrier électronique ne coûte pas cher. Un spammer peut ainsi envoyer des milliers de messages par heure à partir d'un PC et d'une connexion téléphonique. Le temps et la place disque perdus pour recevoir ces messages vous coûtent de l'argent (en frais de connexion) et sont une cause de gaspillage de temps. Cette pluie de messages encombre inutilement les disques des fournisseurs d'accès et contribue à augmenter la charge déjà considérable de l'Internet.

Beaucoup de spammers insèrent dans leurs messages une ligne indiquant comment procéder si vous ne voulez plus qu'ils vous adressent de messages. Quelque chose comme "Send us a message with the word REMOVE in it[3]". Pourquoi perdre votre temps à cela ? Sans compter que c'est généralement peu efficace et que cela peut même avoir l'effet contraire (certains se servant de cette méthode pour vérifier que votre adresse est valide).

Que peut-on faire ?

Pas grand-chose, à vrai dire. L'Internet a toujours tenté d'assurer sa propre police, sa communauté refusant de se voir sous le contrôle de

---

[3.] "Envoyez-nous un message comportant le mot REMOVE." Actuellement, il semble que le spam provienne essentiellement des Etats-Unis. (N.d.T.)

quelque autorité, gouvernementale, commerciale ou autre. Si vous pouvez identifier **à coup sûr** l'adresse e-mail de l'expéditeur, envoyez un message de protestation accompagné de la copie complète du message à une adresse électronique particulière formée du nom `abuse` suivi du nom de domaine de l'expéditeur. Par exemple, si l'adresse présente dans la rubrique From: est `rodin_julie@yahoo.fr`, envoyez votre message à `abuse@yahoo.fr`[4].

 Vous trouverez d'autres informations sur le spam et les moyens de lutte contre ce fléau, techniquement et légalement, aux URL : `www.cauce.org`, `spam.abuse.net` et `www.abuse.net`.

J'ai cru voir un gros virus !

Il y a bien longtemps déjà que l'Internet sert de vecteur aux virus. Aujourd'hui, la plupart d'entre eux sont diffusés par e-mail, soit directement, soit en tant que pièces jointes.

Le contenu d'un message écrit en **texte pur** ne peut pas abriter de virus. Il en va tout autrement des messages mis en forme ou rédigés en HTML. De leur côté, les pièces jointes peuvent très bien en contenir. Pour qu'un virus fonctionne (autrement dit, pour qu'il s'exécute, contamine votre ordinateur et envoie des copies de lui-même à d'autres personnes par e-mail), vous devez l'activer.

Dans la plupart des logiciels de courrier (dont Netscape Messenger et Eudora), les programmes contenus dans les fichiers joints ne s'exécutent pas tant que vous ne cliquez pas dessus. Il est donc fortement recommandé de ne pas ouvrir de fichier joint provenant de personnes que vous ne connaissez pas. **N'ouvrez même pas les pièces jointes provenant de personnes que vous connaissez si cet envoi n'était pas prévu.** Le virus Melissa (qui a fait parler de lui au printemps 1999) s'est répandu tout autour du globe en envoyant des copies de lui-même aux 50 premières personnes inscrites dans les carnets d'adresses de tous ceux qui l'avaient reçu.

Si vous utilisez Outlook Express 5.0 ou Outlook (tout court), la situation est encore plus critique. L'Outlook de Microsoft Office ouvre les fichiers joints dès l'ouverture du message accompagnateur. Outlook Express, lui, propose systématiquement un aperçu qui affiche un fichier et ses attachements avant même de cliquer dessus. Les

---

4.   Il s'agit ici d'un cas réel. (N.d.T.)

premières versions d'Outlook Express 5.0 et Outlook 97, 98 et peut-être 2000 permettent aux programmes joints à des messages de faire toutes sortes d'horreurs à votre PC. Heureusement, Microsoft a par la suite concocté un remède, disponible à l'URL `www.microsoft.com/security/Bulletins/ms99-032.asp`.

Chapitre 13

Courrier, courrier quand tu nous tiens !

· ·

Dans ce chapitre :

▶ Abonnement et désabonnement à des listes de diffusion.

▶ Le tri entre le bon grain et l'ivraie.

▶ Quelques listes de diffusion intéressantes.

· ·

Si vous aimez recevoir régulièrement du courrier électronique, abonnez-vous à des listes de diffusion *(mailing lists)*. Chaque matin, vous trouverez dans votre boîte aux lettres électronique de quoi lire pendant un temps appréciable.

Est-ce réellement intéressant ?

Le principe de ces listes est très simple. La liste possède sa propre adresse électronique et tout ce qui est envoyé à cette adresse est transmis aux abonnés de la liste. Comme, à leur tour, ceux-ci répondent au courrier qu'ils reçoivent, il en résulte une véritable conversation.

Les listes ont chacune leur style propre. Certaines sont assez formelles, ne s'écartant pas du thème officiel de la liste. D'autres ont tendance à virevolter çà et là, abordant souvent des sujets bien étrangers au thème officiel de la liste. Pour en avoir une idée, le mieux est de lire ce qu'elles vous envoient pendant un petit moment.

On peut classer les listes de diffusion en trois catégories :

✔ **Discussion.** Chaque abonné peut "poster" un message. Ces listes permettent d'entretenir des discussions libres et peuvent même contenir certains messages hors sujet.

✔ **Modérées.** Un modérateur est une personne de bonne volonté qui lit chaque message avant de le mettre dans le circuit de distribution. Il a le droit d'arrêter tout message sans rapport avec l'objet de la liste, redondant, inutile ou injurieux, évitant ainsi aux abonnés à la liste toute perte de temps et toute polémique stérile.

✔ **Annonces.** Seul le modérateur peut poster ce type de messages. C'est de cette façon que peuvent être diffusés des bulletins périodiques, par exemple.

Abonnement et désabonnement

Quelqu'un ou quelque chose doit gérer les inscriptions et la distribution des messages à tous les abonnés. Cette tâche étant bien trop rébarbative pour être exécutée par un être humain, ce sont généralement des programmes qui s'en acquittent. Ceux qu'on emploie le plus fréquemment s'appellent LISTSERV, Majordomo et ListProc. Nous étudierons chacun d'eux dans les sections suivantes.

S'abonner à une liste de diffusion est très simple : il suffit d'envoyer un message par courrier électronique au programme serveur de la liste. Dans la mesure où c'est un programme qui lit le message, ce dernier doit être correctement formulé et formaté. Nous vous expliquerons plus loin, dans ce même chapitre, comment procéder.

Certaines listes sont également gérées par des programmes habillés sous une interface Web. Pour vous abonner ou vous désabonner, il suffit alors de cliquer sur le lien approprié de la page Web correspondante. Reportez-vous à la section "S'abonner et se désabonner d'un simple clic", plus loin dans ce même chapitre.

Gestion humaine

Il existe une convention largement respectée concernant l'adresse des listes gérées "manuellement". Supposons que vous souhaitiez être au courant de tout ce qui concerne James Buchanan, quinzième président des Etats-Unis, le seul qui soit resté célibataire, et que le nom de la liste consacrée à sa célébration soit `buchanan-lovers@gurus.com`. L'adresse électronique du gestionnaire de la liste est très probablement `buchanan-lovers-request@gurus.com`. Autrement dit, il vous suffit d'ajouter -request, juste avant le "@", au nom de la liste elle-même pour avoir l'adresse de son gestionnaire. Puisque cette liste est gérée par une personne, votre requête peut être exprimée sans trop de formalisme, l'essentiel étant de faire preuve d'un minimum de politesse. Cela pourrait être quelque chose comme : "Please, add me to the buchanan-lovers list." (Ajoutez-moi, s'il vous plaît, à la liste des buchanan-lovers). Pour mettre fin à votre abonnement, ce serait : "Please, remove me from the buchanan-lovers list." (Rayez-moi, s'il vous plaît, de la liste des buchanan-lovers.)

Les messages de ce genre sont lus et traités par des gens qui ne font pas que ça. Vous devez donc comprendre qu'il peut s'écouler plusieurs jours avant que votre requête soit examinée et prise en considération. En particulier, lorsque vous vous désabonnez, vous pouvez continuer à recevoir plusieurs messages de la liste avant que votre radiation soit effective.

S'abonner à partir du Web

Vous pouvez vous abonner à de nombreuses listes directement sur le Web. En règle générale, vous saisissez votre adresse e-mail dans un champ prévu à cet effet sur une page Web, vous cliquez sur un bouton Envoi, Send ou Subscribe, et c'est tout. Cette méthode est souvent bien plus pratique que l'envoi d'un message électronique au gestionnaire d'une liste.

Toutefois, avant de vous abonner, assurez-vous que la page en question vous indique la façon de vous désabonner, détail que certains ont tendance à omettre.

LISTSERV

Le premier programme de gestion de liste a été LISTSERV et il était destiné à tourner sur de grosses machines IBM. Au fil des années, LISTSERV a grossi à un point tel qu'il est aujourd'hui rempli d'options de toutes sortes que personne ne se soucie d'utiliser.

Son emploi est resté plutôt lourd, mais il a le grand avantage de pouvoir gérer d'énormes quantités de listes de diffusion dont chacune contient des milliers de membres, ce que tous les programmes généralement sollicités sur le Net ne savent pas faire. Par exemple, il peut envoyer du courrier à un millier d'adresses en cinq minutes alors que sendmail, le programme Internet habituellement utilisé à cet effet, demanderait pour cela plus d'une heure.

Comment éviter de passer pour un crétin

Après vous être abonné à une liste, attendez environ une semaine d'avoir reçu quelques messages émanant de cette liste avant d'en envoyer vous-même. De cette façon, vous allez pouvoir prendre connaissance des usages en cours sur la liste, savoir de quoi on discute et sous quelle forme, repérer les fortes têtes et ceux qui savent tout sur tout. La gaffe classique du nouveau venu est de s'abonner à une liste et d'y envoyer immédiatement un message posant une question stupide ayant fait précisément l'objet de débats passionnés dans les jours précédents. Regardez autour de vous et évitez d'agir ainsi.

L'autre gaffe à éviter est d'envoyer un message directement à la liste pour vous abonner ou vous désabonner. Ce type de message doit être adressé au gestionnaire de la liste ou à une adresse LISTSERV, Majordomo ou ListProc (où soit une personne, soit un programme pourront le traiter), et non pas à la liste elle-même où chacun pourra s'apercevoir de votre bourde.

Pour nous résumer : le premier message à envoyer pour vous abonner doit être adressé à une adresse `machin-request`, LISTSERV, Majordomo ou `listproc` et non pas à la liste elle-même. Ce n'est qu'ensuite que vous pourrez communiquer directement avec les membres de la liste.

N'envoyez que des messages en texte pur. Ne formatez pas vos messages, n'y joignez rien. Du texte et rien que du texte. Si vous tenez à envoyer un fichier aux abonnés de la liste, envoyez plutôt un message invitant les personnes intéressées à vous le faire savoir par courrier privé.

Une dernière chose à éviter : si vous n'aimez pas ce qu'une personne envoie à la liste (par exemple, un nouveau venu envoie des messages vides ou des demandes de désabonnement ou bien ne cesse de rabâcher encore et toujours les mêmes propos), ne gaspillez pas le temps des autres abonnés en envoyant votre protestation sur la liste. Adressez plutôt un e-mail directement à cette personne pour lui demander d'arrêter, sinon envoyez un message au gestionnaire de la liste afin qu'il intervienne.

Pour tout ce qui touche à la prise ou à la résiliation d'un abonnement à une liste gérée par LISTSERV, vous devez envoyer un message à `LISTSERV@machin.chose.truc`, où `machin.chose.truc` est le nom de la machine dans laquelle se trouve la liste qui vous intéresse. C'est l'*adresse administrative* de la liste.

Prenez donc un comprimé de message

Certaines listes sont "condensées" : les messages reçus pendant un certain laps de temps (un jour ou deux, voire une semaine) sont rassemblés en un seul gros message précédé d'une table des matières. Beaucoup de gens trouvent cela plus pratique que de gérer une foule de petits messages épars. Il existe des programmes de lecture pouvant éclater le gros message en constituants, ce qui vous permet de regrouper ces derniers d'une autre façon, à votre convenance. On appelle cela *undigestifying* ou *exploding* (décompacter). Consultez la notice du programme dont vous vous servez pour en savoir davantage.

Supposons que le nom de la liste vous intéressant soit LOUISXIV-L (les noms de listes gérées par LISTSERV se terminent généralement par -L) et que vous vous appeliez Pierre Kiroule. Pour vous abonner, vous enverrez le message :

```
SUB LOUISXIV-L Pierre Kiroule
```

Vous n'avez pas besoin d'indiquer un sujet[1]. La ligne ci-dessus suffit amplement. SUB est un raccourci pour SUBSCRIBE (s'abonner), LOUISXIV-L est le nom de la liste et ce qui se trouve après est censé être votre vrai nom. (Vous pouvez y mettre ce que vous voulez, mais souvenez-vous que cela figurera comme adresse de retour dans l'en-tête des messages que vous enverrez.) Inutile également de préciser votre adresse e-mail, LISTSERV est capable de l'extraire de l'en-tête de votre message.

Peu après avoir accompli cette formalité, vous allez recevoir un message de bienvenue généré automatiquement et qui vous signale que vous faites maintenant partie des abonnés à la liste, accompagné de la description de quelques-unes des commandes que vous pouvez utiliser pour manipuler la liste. Souvent, ce message vous demandera de confirmer que vous l'avez bien reçu afin d'éviter que de mauvais plaisants vous abonnent sans votre consentement à n'importe quelle liste. Suivez alors les instructions données. Généralement, vous ne devrez rien modifier dans ce message, vous contentant de le renvoyer tel quel. Si vous n'envoyiez pas la confirmation qui vous est demandée, votre inscription risquerait de ne pas être validée.

---

[1]. A moins que votre mailer ne l'exige. (N.d.T.)

Conservez précieusement le message comportant le sommaire des commandes car vous risquez d'en avoir besoin plus tard, lorsque vous voudrez vous désabonner, par exemple.

Une fois inscrit, vous pouvez envoyer un message à la liste en l'adressant à LOUISXIV-L@machin.chose.truc. Cette adresse est l'*adresse de la liste* et elle ne doit recevoir que les messages destinés aux membres de la liste. N'oubliez pas d'indiquer un sujet précis et évocateur de façon que tous les destinataires de la liste sachent immédiatement si ça les intéresse ou non.

Pour vous désabonner, c'est encore plus simple. Envoyez un message à LISTSERV@machin.chose.truc dans le corps duquel vous aurez écrit :

```
SIGNOFF LOUISXIV-L
```

Inutile de donner votre nom, cette fois. Dorénavant, LISTSERV ne vous connaît plus. Tout au moins en ce qui concerne cette liste.

Certaines listes ne sont pas ouvertes à tous. Le responsable (humain) de la liste peut décider de ne pas accepter votre demande. La plupart du temps, il vous enverra un message pour vous exposer les raisons de son refus ou vous demander des justifications.

Pour entrer en contact avec ce responsable, vous envoyez un message à OWNER- (propriétaire) suivi du nom de la liste. Dans notre exemple, ce serait OWNER-LOUISXIV-L. Si vous avez le moindre problème, n'hésitez pas à vous adresser à lui car il est tout-puissant.

Les gadgets de LISTSERV

LISTSERV possède tellement de gadgets qu'il faudrait un livre entier pour les décrire tous. Mais il est utile d'en connaître quelques-uns. Pour chacune de ces commandes, vous envoyez un message à LISTSERV@machin.chose.truc. Vous pouvez glisser plusieurs commandes dans le même message.

✔ **Arrêt temporaire du service.** Si vous devez vous absenter pendant une semaine ou deux, inutile de continuer à recevoir les messages de la liste. Mais, comme vous voulez recommencer à les recevoir à votre retour, vous ne voulez pas vous désabonner. Pour arrêter temporairement de recevoir du courrier, votre message doit se présenter ainsi :

```
SET LOUISXIV-L NOMAIL
```

✔ **Reprise du service.** Pour recommencer à recevoir les messages de la liste, envoyez ce message :

```
SET LOUISXIV-L MAIL
```

✔ **Compression des messages.** Si vous préférez recevoir les messages sous forme condensée, envoyez le message :

```
SET LOUISXIV-L DIGEST
```

Toutes les listes n'offrent pas nécessairement ce service. Celles qui ne compriment pas les messages vous le feront savoir. Si vous voulez par la suite recevoir de nouveau vos messages individuellement, envoyez cette commande :

```
SET LOUISXIV-L NODIGEST
```

✔ **Connaître les noms des autres abonnés.** Attention, il y a des listes qui comportent un très grand nombre d'abonnés. Préparez-vous, en conséquence, à recevoir un très gros message. Pour connaître les noms des abonnés, le message à envoyer s'écrit :

```
REVIEW LOUISXIV-L
```

✔ **Pour ne pas recevoir vos propres messages.** Normalement, la liste vous renvoie vos propres messages comme à tous les abonnés, ce qui n'est pas vraiment indispensable. Pour exclure vos propres messages de ce que vous recevrez, envoyez :

```
SET LOUISXIV-L NOACK
```

✔ **Pour recevoir vos propres messages, retirez la négation :**

```
SET LOUISXIV-L ACK
```

✔ **Pour connaître les noms des fichiers disponibles.** La plupart des serveurs LISTSERV possèdent une bibliothèque de fichiers, généralement constituées par des documents qui leur ont été envoyés par des abonnés. Pour en connaître la liste, envoyez :

```
INDEX
```

✔ **Pour recevoir un fichier particulier** dont le nom est *nom_fich* par courrier électronique, envoyez :

```
GET LOUISXIV-L nom_fich
```

✔ **Pour savoir quelles sont les listes qui existent** sur le serveur auquel vous vous adressez, envoyez le message :

```
LIST
```

✔ **Demander à LISTSERV de faire autre chose.** Il existe une foule d'autres commandes. Si le cœur vous en dit, vous pouvez en prendre connaissance en envoyant le message :

```
HELP
```

Majordomo : c'est un très bon choix, monsieur

L'autre système de liste très utilisé est *Majordomo*, de Brent Chapman. Au début, c'était un ersatz de LISTSERV destiné aux stations de travail mais il a évolué, et c'est maintenant un système à part entière qui donne généralement satisfaction. En raison de son hérédité, les commandes de Majordomo ressemblent à celles de LISTSERV, mais ce ne sont pas *tout à fait* les mêmes.

L'adresse électronique administrative des listes gérées par Majordomo est Majordomo@machin.chose.truc. Les listes gérées par Majordomo ont une nette tendance à avoir des noms à rallonge. L'une de nos favorites s'appelle explosive-cargo. C'est ce qu'on appelle aux Etats-Unis une *column*, c'est-à-dire une rubrique permanente tenue périodiquement par le même chroniqueur. Cette liste se trouvant sur la machine world.std.com, pour vous y abonner, envoyez le message suivant à majordomo@world.std.com :

```
subscribe explosive-cargo
```

A la différence de LISTSERV, remarquez que votre nom ne doit pas figurer à la suite de la commande.

Pour vous désabonner, ce sera :

```
unsubscribe explosive-cargo
```

Pour envoyer un message à l'ensemble des abonnés de la liste, vous l'adresserez à nom_de_la_liste@machin.chose.truc. (Notez que vous ne pouvez pas envoyer de message à explosive-cargo, car seul son chroniqueur attitré a le droit d'y écrire quelque chose.)

Les gadgets de Majordomo

Pour ne pas être en reste avec LISTSERV, Majordomo a son propre jeu de commandes pas réellement indispensables. Ici aussi, vous pouvez en regrouper plusieurs dans un même message.

✔ Pour savoir à quelles listes vous êtes abonné :

```
which
```

✔ Pour connaître le nom de toutes les listes gérées par un système Majordomo :

```
lists
```

✔ Pour connaître le nom des fichiers relatifs à une liste particulière :

```
index nom_de_la_liste
```

✔ Pour demander à recevoir un de ces fichiers par e-mail :

```
get nom_de_la_liste nom_du_fichier
```

✔ Pour connaître les autres commandes de Majordomo :

```
help
```

✔ Si vous voulez joindre la personne responsable d'un système Majordomo, envoyez un message bien poli à owner-Majordomo@machin.chose.truc et ayez la patience d'attendre sa réponse. Ici, ce n'est pas à une machine que vous vous adressez.

ListProc, l'outsider

ListProc n'est pas aussi utilisé que LISTSERV ou Majordomo, mais il gagne en popularité parce qu'il est plus facile à installer que LISTSERV, moins cher et presque aussi puissant.

Pour vous abonner à une liste gérée par ListProc, envoyez à listproc@machin.chose le message suivant :

```
subscribe nom_de_la_liste votre_nom
```

Ainsi, en supposant que vous vous appeliez George Washington, et qu'il existe une liste appelée *chickens* (poulets) sur le serveur (réel) gurus.com, vous enverriez le message suivant :

```
subscribe chickens George Washington
```

Pour vous désabonner, ce serait :

```
signoff chickens
```

Vous n'aurez pas manqué de remarquer la parenté avec LISTSERV en ce qui concerne le mot-clé de résiliation de l'abonnement. Une fois que vous êtes abonné, vous pouvez envoyer des messages aux autres abonnés à l'adresse nom_de_la_liste@machin.chose. Dans notre exemple, ce serait : chickens@gurus.com.

Pour savoir ce que ListProc sait faire d'autre, envoyez, comme d'habitude, le message help à listproc@machin.chose, où machin.chose est naturellement le nom de la machine dans laquelle se trouve le serveur intéressé.

S'abonner et se désabonner d'un simple clic

De nombreux sites Web hébergent aujourd'hui des listes de diffusion, vous permettant de vous abonner à des listes ou même d'en créer à l'aide de quelques clics de souris sur des liens. Parmi ces sites, figurent Topica (www.topica.com), eGroups (www.egroups.com et www.egroups.fr), Coollist (www.coollist.com), Onelist (www.onelist.com) et Listbot (www.listbot.com).

Pour vous abonner à une liste proposée sur un site Web, il suffit de suivre les instructions affichées à l'écran. Certaines listes vous permettent de lire les messages postés sans même vous abonner : vous cliquez simplement sur des liens pour afficher directement les messages dans votre navigateur Web. Ces sites Web vous permettent également de créer votre propre liste de diffusion et de l'héberger gratuitement.

Envoyer des messages à des listes de diffusion

Une fois abonné à une liste de diffusion, attendez une petite semaine pour voir comment se présentent les messages circulant sur la liste. Lorsque vous penserez que vous en avez assez vu pour éviter de vous trouver en porte-à-faux, essayez de *poster* quelque chose. Pour cela, utilisez votre mailer. L'adresse de la liste est la même que le nom de la liste, `chickens@gurus.com` par exemple. N'oubliez pas que des centaines, voire des milliers de gens vont lire vos perles de sagesse. Alors, essayez au moins d'éviter les fautes d'orthographe. Sur les listes les plus fréquentées, vous aurez peut-être une réponse dans les minutes qui suivront l'envoi de votre message.

Dans certaines listes, il est d'usage que le nouvel abonné envoie un message pour se présenter et indiquer brièvement quels sont les domaines qui l'intéressent. Cette coutume n'est pas universelle, alors attendez d'y être invité.

Tout message envoyé à une *liste modéré* doit, avant d'être diffusé, recevoir l'imprimatur d'un *modérateur* qui décide souverainement si votre message peut ou non être diffusé. Dans la pratique, ça rend la liste mille fois plus intéressante en améliorant son rapport signal/bruit de fond.

Les finesses de la dialectique

Il peut vous arriver de trouver un message spécialement intéressant auquel vous souhaiteriez apporter une réponse ou un commentaire. Devez-vous l'adresser à l'auteur ou à la communauté ? Autrement dit, à quelle adresse électronique devez-vous l'envoyer ? C'est à vous qu'il appartient d'en décider. Lorsque vous créez une réponse, votre mailer vous indique à quelle adresse il compte l'envoyer mais vous avez toujours la possibilité de modifier cette adresse.

Peut-être serait-il bon de modifier le sujet original du message ? Après plusieurs tours de réponses et de réponses aux réponses, le sujet de la discussion est souvent bien loin de l'objet de départ. Aussi, une petite mise à jour, recentrant le débat, est souvent la bienvenue.

Quelques listes intéressantes

Il existe des dizaines de milliers de listes. Pour vous aider à en découvrir d'intéressantes, en voici quelques-unes qui nous semblent particulièrement dignes d'intérêt, accompagnées d'une courte description. Ces adresses changent assez souvent et il s'en crée sans cesse de nouvelles. Un annuaire de listes existe, entre autres, à `www.liszt.com` (mauvais calembour) et à `www.topica.com`.

Nous vous recommandons tout particulièrement les *annuaires de listes francophones* suivants :

- **Francopholistes :** www.francopholistes.com.

- **Kitalettre :** www.kitalettre.com.

- **Dolist :** www.dolist.net.

- **Université de Rennes II :** www.uhb.fr/www/list

- **Sorengo Communication :** www.sorengo.com/sorengo/list

En ce qui concerne les listes elles-mêmes (et tout spécialement celles où on parle français), voici quelques-unes qui nous semblent particulièrement dignes d'intérêt :

- **consonet@egroups.fr :** Tout ce qui se rapporte aux consommateurs que nous sommes et à la consommation.

- **biblio-fr@cru.fr :** Bibliothécaires et documentalistes francophones.

- **telecoms@egroups.fr** : Liste francophone des télécoms (téléphone filaire et télécommunication).

- **mobiletel@egroups.fr :** L'actualité du téléphone mobile GSM et DCS.

- **cuisine-fr@cru.fr** : Cuisine et culture culinaire, échanges de recettes et astuces.

- **comprendresonchien@onelist.com** : Education canine.

- **adbs-info@cru.fr** : L'Association des professionnels de l'information et de la documentation.

- **courrierpedago@egroups.fr** : Partage d'idées et d'expériences pédagogiques entre enseignants.

- **montagne@-psud.fr** : Les activités de la montagne.

- **potterharry@egroups.fr :** Cette liste vous permettra de vous exprimer librement sur Harry Potter, le sorcier le plus médiatisé de la littérature.

- **cybergames@lists.exmachina.net** : Les jeux vidéo.

Chapitre 14
Messages instantanés

. . . .

Dans ce chapitre :

▶ La messagerie instantanée ICQ.

▶ La messagerie instantanée AIM.

▶ Autres systèmes.

. . . .

*U*ne nouvelle génération de messageries instantanées est apparue depuis peu, qui vous permet d'échanger presque en temps réel des messages par écran/clavier. Ce type de programme propose également une liste de contacts (des personnes dont vous connaissez les pseudonymes ou adresses électroniques) et vous avise dès que l'un d'eux est en ligne, de sorte que vous puissiez lui envoyer instantanément un message qui apparaîtra aussitôt sur son écran.

L'intérêt des messages instantanés est leur rapidité de communication : vous contactez quelqu'un aussi rapidement que si vous l'appeliez au téléphone.

ICQ

ICQ (trois lettres qui se prononcent "aï si kiou" pour *I seek you* : je te cherche) est actuellement le roi de la messagerie instantanée. Il propose une kyrielle de fonctions et d'options diverses. Il faut commencer par télécharger et installer ICQ, puis le configurer pour obtenir un numéro ICQ, sorte de numéro de téléphone à 8 chiffres, destiné à vous identifier. Vous pourrez alors repérer quelques-uns de vos amis et commencer à leur envoyer des messages instantanés qui vous permettront une conversation (par écran-clavier) en temps réel.

Quel système utiliser ?

Malheureusement, les systèmes de messagerie instantanée ne communiquent pas entre eux. Dans la mesure où l'objectif de tous ces systèmes est de vous permettre de rester en contact avec vos amis, optez pour le programme qu'ils utilisent, s'il y en a suffisamment qui recourent au même. D'ailleurs, rien ne vous empêche de faire tourner plusieurs systèmes en même temps pour être certain d'étendre au maximum votre champ d'action.

Télécharger et installer ICQ

Vous devez commencer par vous procurer le logiciel ICQ et l'installer sur votre ordinateur. Pour cela, visitez le site officiel d'ICQ à l'URL www.icq.com et cliquez sur le lien "Free ICQ software" dans la colonne de gauche. Suivez ensuite les instructions pour installer et lancer ICQ. Une fois installé, le programme vous proposera un numéro d'identification.

Un assistant d'enregistrement vous invite à saisir quelques renseignements personnels et à créer un mot de passe pour protéger votre numéro. Ensuite, le programme ICQ démarre pour de bon en faisant apparaître une petite fenêtre (à gauche de la Figure 14.1).

Après téléchargement de la version anglaise, vous pouvez obtenir une traduction du logiciel en cliquant sur le bouton Services, puis en choisissant l'option Translation/Download ICQ in your own language. Cette opération lance automatiquement votre navigateur par défaut, connecte votre ordinateur sur le Net (s'il n'est pas déjà connecté) et affiche la page Web du service de traduction. Dans cette page, cliquez sur Download Now, puis sur l'option LingoWare 2 French (d'autres langues sont également disponibles) pour télécharger le programme permettant d'obtenir une version traduite en français du logiciel d'ICQ (laquelle est parfois surprenante). Lorsque le téléchargement est terminé, cliquez sur l'icône du programme LingoWare posée sur le bureau pour lancer l'installation. (Notez que vous pouvez, si vous le souhaitez, télécharger ce fichier *avant même* d'installer ICQ afin d'effectuer l'installation d'ICQ en français.) La version française de la petite fenêtre du programme est illustrée à droite de la Figure 14.1.

Figure 14.1 :
ICQ prêt à
démarrer
dans la
langue qu'il
vous plaît.

La première fois que vous lancerez ICQ, le serveur vous enverra
probablement un message d'accueil. Pour le lire, double-cliquez sur
l'icône marquée System Notice (Avis du système) au bas de la fenêtre,
puis cliquez sur le bouton Close (Fermer).

ICQ tourne sur votre ordinateur dès que vous êtes connecté à
l'Internet. Vous pouvez réduire la fenêtre en cliquant sur le bouton
standard de réduction. La fenêtre se transforme alors en un bouton de
la barre des tâches et le programme vous avertit par un message
sonore dès que quelqu'un tente de vous contacter.

A la recherche d'un contact

Pour savoir si certains de vos amis sont en ligne, cliquez sur le bouton
marqué Add/Invite Users (Ajoute/Invite utilisateurs), puis sur le
premier bouton marqué Search (Chercher), et enfin sur le bouton
Wizard mode (mode Assistant, en bas à droite de la fenêtre) pour
lancer un assistant (illustré Figure 14.2) qui va vous aider à identifier
vos amis et à ajouter ces personnes à votre liste de contacts.

ICQ propose plusieurs façons de rechercher ou d'ajouter un contact. Il
vous sera plus facile de contacter quelqu'un si vous connaissez son
numéro ICQ ou son adresse e-mail. Si ICQ trouve une correspondance,
il l'affiche à l'écran. Il suffit ensuite de cliquer sur le bouton Next
(Suivant) pour ajouter cette personne à votre liste de contacts. Si vous
obtenez plusieurs résultats, cliquez sur la personne de votre choix,
puis sur le bouton Next (Suivant). En règle générale, vous pouvez
ajouter le contact immédiatement ; toutefois certains utilisateurs
valident une option de sécurité spécifique dans leur programme, de
sorte que vous devez leur demander la permission de les ajouter à

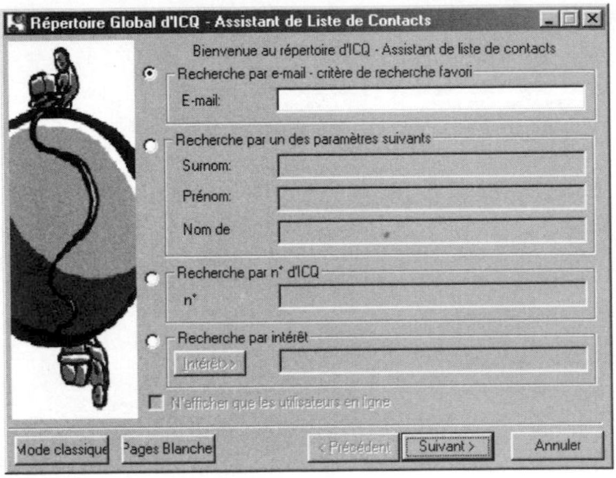

Figure 14.2 :
L'assistant
permettant
d'ajouter des
contacts à
votre liste.

votre liste de contacts. Le cas échéant, vous devez taper votre requête dans une petite fenêtre qui apparaît automatiquement, telle que celle illustrée Figure 14.3. Plaidez votre cause et cliquez sur le bouton Request (Demande).

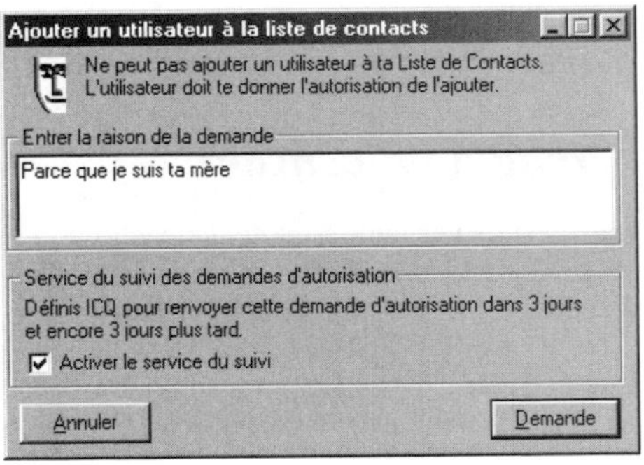

Figure 14.3 :
Voilà une
requête que
l'on ne peut
refuser.

Dès que vous avez ajouté une personne à votre liste de contacts, la fenêtre ICQ ajoute un lien figurant son surnom. Vous pouvez modifier votre liste de contacts à tout moment – inutile d'identifier tout le monde immédiatement. Pour ajouter d'autres personnes, il vous suffit de cliquer de nouveau sur le bouton Add/Invite Users (Ajoute/Invite utilisateurs). Pour supprimer un contact, cliquez sur son nom et sélectionnez l'option Delete (Supprimer) dans le menu qui apparaît.

Pour changer son nom, sélectionnez l'option Rename (Renommer)
dans ce même menu.

Aussi vite que l'éclair...

Une fois votre liste établie, l'envoi et la réception de messages sont un
jeu d'enfant.

Quand vous recevez un message d'une personne ou du système ICQ,
l'icône correspondante clignote dans la fenêtre d'ICQ et le programme
émet une espèce de grognement. Pour lire le message, double-cliquez
sur l'icône clignotante. Une fenêtre apparaît, dans laquelle est affiché
le message reçu. Vous pouvez répondre aussitôt en tapant votre texte
dans la partie inférieure de la fenêtre. Pour envoyer un message,
cliquez sur le nom de la personne à qui vous voulez l'envoyer. Un
menu apparaît. Cliquez ensuite sur Message afin d'ouvrir une fenêtre
(voir la Figure 14.4) dans laquelle vous allez écrire le message à
envoyer, puis cliquez sur Send (Envoyer). Si la personne n'est pas en
ligne, le programme vous propose d'enregistrer votre message pour
un envoi ultérieur.

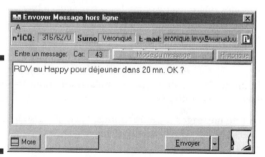

Figure 14.4 :
Envoi d'un
message
d'une
extrême
importance.

Causerie en temps réel

Si vous voulez converser en temps réel au lieu de vous contenter
d'envoyer un message, cliquez sur le nom de votre ami puis sélectionnez ICQ Chat. S'il est en ligne, une boîte de dialogue s'ouvre et vous
demande de taper un court message lui indiquant le sujet de votre
appel. Cliquez sur Chat pour l'envoyer.

A l'autre bout, la barre correspondant à l'expéditeur va clignoter dans
la fenêtre ICQ et le programme indiquera "Incoming chat request"

(Demande de communication reçue). En double-cliquant sur cette barre, le message va s'afficher. Le destinataire peut alors accepter la conversation en cliquant sur Accept ou la refuser en cliquant sur Do not Accept.

Une fois que les deux parties se sont mises d'accord, le programme ouvre une fenêtre de conversation. La première fois, il vous demande comment vous voulez organiser cette fenêtre ; acceptez sa proposition de la partager en deux. Chaque personne peut alors taper et voir ce que l'autre tape au même moment. Lorsque vous aurez terminé, fermez simplement la fenêtre de conversation.

Des tas d'autres fonctions

En plus de la messagerie instantanée et de la conversation en ligne, ICQ vous permet de faire beaucoup d'autres choses :

- ✔ **Envoi et réception de fichiers.** Les fichiers sont envoyés directement depuis l'ordinateur de l'expéditeur à celui du destinataire, si bien que le transfert est très rapide. Il va de soi que vous ne devez jamais accepter de fichiers provenant de personnes que vous ne connaissez pas ; ces fichiers peuvent contenir des virus, des photos choquantes ou tout autre document indésirable.

- ✔ **Salons de conversations.** Vous pouvez vous joindre à des groupes de conversation sur toutes sortes de sujets. Cliquez sur Add/Invite Users (Ajoute/Invite utilisateurs) pour trouver les liens qui vous conduisent vers ces salons.

- ✔ **Envoi de messages à des inconnus.** Si vous vous ennuyez vraiment, vous pouvez envoyer des messages à des utilisateurs choisis au hasard. (Ce qui signifie que des inconnus peuvent, eux aussi, vous envoyer des messages.)

- ✔ **Mode avancé.** Si vous cliquez sur le bouton To Advanced Mode (Pour passer au mode avancé), vous basculez en mode avancé, ce qui vous permet d'accéder à toutes les autres options d'ICQ (définition d'autres profils, options de sécurité et de confidentialité, envoi de messages e-mail, appels téléphoniques Internet, etc.). Visitez le site Web d'ICQ pour de plus amples explications à leur sujet.

Messagerie instantanée avec AOL

AOL Instant Messenger (AIM en abrégé) est beaucoup moins sophisti-
qué que ICQ. Son unique fonction est de vous permettre de recevoir et
d'envoyer des messages instantanés. Toutefois, il est plus simple à
installer que son concurrent et il vous permet de contacter des
abonnées à AOL.

Configurer Instant Messenger

Si vous êtes déjà abonné à AOL, AIM vous attend sagement quelque
part dans votre navigateur. Dans le cas contraire, vous devez
télécharger et installer le programme.

AIM est peut-être déjà intégré à votre Netscape Navigator (s'il est
postérieur à la version 4.4). Dans le cas contraire, pointez votre
navigateur sur www.aol.fr et cliquez sur le lien AOL Messager. Dans
la page qui apparaît, saisissez un pseudonyme, un mot de passe et
votre adresse électronique. Vous recevrez par courrier électronique
une confirmation d'AOL à laquelle vous devrez répondre sous 48
heures pour que votre inscription soit pris en compte. Une fois
l'enregistrement effectué, vous pourrez télécharger le programme.

Sélectionnez votre système (Windows 32 bits, Windows 3.1, Macintosh
ou UNIX), puis cliquez sur le bouton Télécharger et indiquez le
répertoire de votre disque dur où vous voulez que soit placé le
logiciel. Lancez ensuite ce programme pour Installer AIM.

L'installation terminée, double-cliquez sur l'icône AOL Messager de
votre bureau. Dans la fenêtre qui s'affiche, tapez votre pseudo et votre
mot de passe puis cliquez sur le bouton Connexion (illustration de
gauche de la Figure 14.5).

Si vous souhaitez utiliser AIM chaque fois que vous êtes en ligne,
cliquez sur les cases Enregistrer le mot de passe et Connexion
automatique avant de cliquer sur le bouton Connexion. AIM vous
connectera automatiquement à l'avenir. La fenêtre, illustrée au centre
de la Figure 14.5, s'affiche à l'écran.

AIM lancera probablement un assistant pour vous aider à démarrer.
Suivez ses instructions ou cliquez sur le bouton Annuler pour vous
débrouiller sans lui. Vous pourrez toujours appeler cet assistant en
cliquant sur la commande Aide/Assistant AIM de la barre de menus.

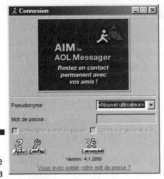

Figure 14.5 :
La fenêtre de
connexion, la
fenêtre AIM
et l'onglet
Répertoire.

AIM *pour tous*

Commencez par créer votre liste d'amis ; ensuite vous enverrez des
messages. Dans la fenêtre AIM, cliquez sur l'onglet Répertoire (à droite
sur la Figure 14.5). Il vous faudra peut-être agrandir la fenêtre pour
afficher cet onglet. AOL propose trois groupes : Amis, Parents et
Collègues. Pour ajouter une personne, cliquez sur le groupe approprié,
puis sur le bouton Nouveau contact ; enfin, entrez le pseudonyme de
cette personne. Si vous connaissez son adresse électronique, mais pas
son pseudo, choisissez Rechercher un contact/Par son adresse
électronique dans le menu Contacts. Un assistant est alors lancé à la
recherche de cette adresse et vous aide à trouver le pseudo correspondant.

Après avoir sélectionné vos contacts, cliquez sur l'onglet En ligne. AIM
affiche les contacts actuellement en ligne. Pour envoyer un message,
double-cliquez sur le nom de la personne avec qui vous voulez
correspondre, puis cliquez sur le bouton Envoyer. AIM affiche aussitôt
une fenêtre sur l'ordinateur du destinataire, et vous et cette personne
pouvez commencer à correspondre en direct. Lorsque vous avez
terminé, fermez la fenêtre de message.

Protection rapprochée

Le système très élaboré de sécurité d'AIM destiné à filtrer les indésirables tend à prouver que nombreux sont ceux qui ignorent les règles élémentaires de bonne conduite parmi les abonnés d'AOL.

La fenêtre d'AIM propose des boutons d'avertissement et de rejet. Si vous recevez un message que vous jugez "ennuyeux", cliquez sur le bouton Blâmer pour envoyer un avertissement à son auteur. Au bout d'environ cinq avertissements, les messages envoyés par cet utilisateur seront systématiquement refusés pendant un certain temps. Si vous trouvez ses manières trop déplorables, vous pouvez rejeter tous les messages de cette personne. Vous pouvez également autoriser certaines personnes et pas d'autres à vous envoyer des messages via la fenêtre Confidentialité : choisissez, dans le menu Mon AIM, la commande Options/Modifier les options, puis cliquez sur l'onglet Confidentialité. Dans cette boîte de dialogue, vous pouvez limiter les messages aux seules personnes figurant dans votre liste de contacts, accepter ou refuser d'être contacté par certains utilisateurs dont vous spécifiez les noms, ou encore éditer votre liste de personnes à rejeter.

Autres systèmes

Les messageries instantanées sont très "tendance", aussi les options et programmes proposés ne se limitent-ils pas à ceux mentionnés dans ce chapitre. Sachez que vous ne pouvez envoyer de messages qu'aux seules personnes utilisant le même système que vous.

✔ **Yahoo Messenger.** Pointez votre navigateur sur le site de Yahoo!, à l'URL `messenger.yahoo.com/intl/fr`, et suivez les instructions pour télécharger et installer le programme. Le programme est disponible en deux versions : l'une est compatible Windows 32 bits en français ; l'autre est une applet Java en anglais pouvant aussi tourner sur Mac et Unix.

✔ **MSN Messenger.** Visitez le site `messenger.msn.fr` et suivez les instructions affichées à l'écran pour télécharger et installer le programme en fonction de votre système. Avant de l'utiliser, vous devez souscrire un abonnement à Hotmail (`www.hotmail.com`). La version pour Windows 32 bits peut envoyer et recevoir des messages en provenance d'Outlook Express 5.0 et de NetMeeting (le programme de conférence en ligne de Microsoft). Les premières versions pouvaient également communiquer avec les utilisateurs d'AIM, mais après avoir bien joué au chat et à la souris pendant près d'un an, AOL bloquant Messenger et Microsoft développant de nouvelles versions pour contourner ce "blocus", Microsoft a abandonné cette stratégie.

Quelques règles de savoir-vivre

Envoyer un message instantané dans le cyberespace revient à aborder quelqu'un dans la rue pour causer avec lui (ou elle). Si vous le(la) connaissez, c'est envisageable ; sinon, c'est une intrusion caractérisée. Aussi, à moins d'avoir une bonne raison pour le faire, n'envoyez aucun message à des personnes que vous ne connaissez pas ou qui ne vous y ont pas invité. Si le destinataire n'autorise que la réception de messages urgents, et que le vôtre n'en soit pas vraiment un, envoyez-le par e-mail. Notez que AIM propose des options de filtrage permettant d'écarter les utilisateurs puérils et/ou "débiles".

Chapitre 15

Causons un peu

Il existe sur l'Internet un type de communication instantané *(online chat)* qui vous permet d'échanger des messages par écrit sous forme de dialogue avec des interlocuteurs situés n'importe où sur le globe. Non seulement c'est plus rapide que le courrier électronique mais aussi vous pouvez causer à plusieurs. Contrairement aux messages instantanés dont nous avons parlé au Chapitre 14, vous pouvez ainsi entretenir une véritable conversation.

Qui est là ?

Cette forme de téléconférence ressemble à s'y méprendre à la CB *(Citizen Band)*. Tout se passe comme dans une conversation téléphonique, à cela près qu'au lieu d'un micro(phone) et d'un écouteur, on utilise le couple écran/clavier. Bien que les participants puissent tous taper en même temps, leurs propos s'affichent sur l'écran dans des zones différentes, accompagnés de l'identification de l'émetteur. Lorsque vous répondez, votre message est, lui aussi, affiché sur l'écran, sous votre identifiant d'utilisateur.

Vous pouvez causer (ou *tchatcher*) principalement de deux façons :

▸ *Channels* (canaux) ou *rooms* (salons). C'est une véritable téléconférence à plusieurs. Dès que vous avez "rejoint un channel[1]", les conversations en cours s'affichent sur votre écran et vous pouvez vous-même y participer.

✔ *Connexion directe.* C'est une conversation privée entre vous et une autre personne utilisant ce moyen de communication.

Qui utilise ce média ?

Si vous êtes abonné à AOL (où les groupes sont appelés tout naturellement *salons – chat rooms*), vous causez avec d'autres abonnés à AOL. Si vous êtes abonné à un fournisseur d'accès ordinaire, vous utilisez l'IRC *(Internet Relay Chat)* et le monde entier s'offre à vous. Nous en parlerons plus en détail à la fin de ce chapitre.

Chaque canal porte un nom. Avec un peu de chance, ce nom est significatif et vous indique le sujet général des bavardages. Certains groupes s'appellent #chat, ce qui implique qu'ils existent uniquement par souci de sociabilité (ou en tant que manifestation d'instinct grégaire).

Qui suis-je ?

Quel que soit le moyen que vous utilisiez, sachez qu'il faut adopter ici un *screen name* (nom d'écran) aussi appelé *nickname* (surnom, pseudo) avant de s'incorporer à un groupe. Les autres membres du groupe ne vous connaîtront que sous cette identité. Il doit, naturellement, être unique et, éventuellement, pittoresque. Sa durée de vie est souvent d'une seule session. Si, au cours d'une conversation, vous avez eu d'intéressants échanges avec *Concombre masqué*, rien ne vous garantit que, la prochaine fois, ce sera la même personne qui se présentera sous ce pseudo.

Lorsque vous rejoignez un groupe, vous voyez quels sont les noms des participants déjà présents et une fenêtre contient le texte de la conversation en cours. Si le groupe est amical, quelqu'un vous envoie généralement un message de bienvenue, car tout le monde est prévenu de votre entrée dans le groupe.

Comme dans la vie courante, dans un "salon" rempli d'étrangers, il peut se trouver des gens qui ne vous plaisent pas. Certains tirent parti de cet anonymat pour adopter une attitude qu'ils n'oseraient pas afficher s'ils agissaient à découvert. Aussi, par prudence, ne laissez

---

1. Ici, plus encore qu'avec les autres médias de l'Internet, le franglais est de rigueur. (N.d.T.)

pas vos enfants s'aventurer inconsidérément dans ces lieux parfois mal famés.

Votre premier salon de conversation

Votre première entrée dans un salon de conversation peut vous sembler dépourvue d'intérêt, frustrante ou décevante. Voici quelques-unes des choses que vous devez savoir avant de vous y aventurer :

- ✔ Souvenez-vous qu'au moment où vous entrez dans ce salon, une conversation est probablement déjà en cours.

- ✔ Attendez une minute ou deux avant de vous présenter. Vous aurez ainsi pu voir sur votre écran le type de conversation qui est en cours et comprendre de quoi on parle avant d'entrer vous-même dans le débat.

- ✔ Commencez par suivre ce que dit un seul des participants. Puis regardez ce que "disent" ceux qui lui répondent.

- ✔ Une fois que vous aurez ainsi suivi le cours d'un échange, intéressez-vous à un autre.

- ✔ Certains services, comme AOL, vous permettent d'afficher d'une façon particulière (en vidéo inverse, par exemple) les messages d'un ou de plusieurs participants. De cette façon, il est plus facile de suivre ce qui se dit.

- ✔ Vous pouvez également indiquer les pseudos des participants dont vous voulez ignorer les propos. Leurs messages ne seront plus affichés sur votre écran mais les répliques des autres participants continueront à l'être.

- ✔ En faisant défiler votre écran vers le haut, vous pouvez prendre connaissance des messages plus anciens. Les nouveaux messages ne seront affichés que lorsque vous reviendrez à la position initiale de votre écran.

La Figure 15.1 montre une de ces causeries internationales en cours.

L'étiquette à observer

L'étiquette qui a cours ici n'est pas tellement différente de celle qui prévaut pour le courrier électronique. Le bon sens doit être votre guide. Voici quelques particularités :

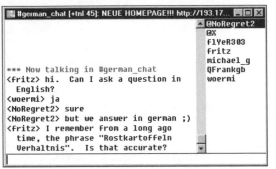

Figure 15.1 :
Fritz
demande une
explication
en anglais
dans le
groupe
#german_chat.

- ✔ Ne blessez personne. A l'autre bout de la connexion, il y a une vraie personne, avec de vrais sentiments.

- ✔ Soyez prudent. Vous n'avez aucune idée de la personnalité de votre interlocuteur. Lisez la section suivante, "Sécurité d'abord", pour comprendre ce que nous voulons dire par là.

- ✔ Avant d'envoyer un message, commencez par lire pendant quelque temps ceux qui s'échangent. Comme sur Usenet, s'informer et observer sans rien dire porte un nom : *lurking*.

- ✔ Faites des messages courts et précis.

- ✔ N'insultez personne et ne vous exprimez pas de façon grossière ou ordurière.

- ✔ Créez un *profil* qui vous situe. La plupart des logiciels ont une fonction pour créer ce profil (sorte de carte de visite à laquelle les autres membres peuvent accéder). Soyez prudent et n'y indiquez ni votre patronyme, ni votre adresse, ni votre numéro de téléphone.

- ✔ Tout ce que vous dites sur vous doit être véridique.

- ✔ Si vous voulez parler à quelqu'un en privé, envoyez-lui un message lui disant qui vous êtes et ce que vous lui voulez.

- ✔ Si le ton d'un de ces salons de conversation vous offusque, quittez-le et essayez-en un autre.

Sécurité d'abord

Voici quelques indications utiles pour avoir des conversations sûres et chaleureuses :

✔ Beaucoup d'habitués de ces groupes travestissent leur identité, leurs occupations et jusqu'à leur sexe. Certains trouvent ça malin, d'autres réalisent leurs fantasmes.

✔ Gardez-vous des propos qui pourraient en révéler un peu trop sur votre réelle personnalité.

✔ Ne communiquez votre mot de passe à personne.

✔ Les enfants ne doivent *jamais* accepter de rencontrer quelqu'un hors de la présence de leurs parents et ne doivent pas donner d'informations sur les membres de leur famille, même si on leur promet une récompense.

✔ Si un de vos enfants utilise le chat, comprenez bien que n'importe qui peut tenter de lui proposer une rencontre. Informez-le des dangers potentiels que cela peut présenter pour lui.

Si vous décidez de rencontrer en chair et en os un de vos interlocuteurs du Net, soyez prudent et agissez comme vous le feriez si vous deviez rencontrer quelqu'un que vous avez connu par les petites annonces de la presse écrite. Observez pour cela les précautions suivantes :

✔ N'acceptez pas de le (la) rencontrer avant de lui avoir causé plusieurs fois et de lui avoir téléphoné auparavant.

✔ Choisissez un lieu public bien éclairé pour cette rencontre.

✔ Amenez un ami avec vous, si c'est possible. Sinon, informez au moins quelqu'un de votre entourage de ce que vous allez faire et convenez de l'appeler au téléphone à une certaine heure.

✔ Si vous devez faire un voyage pour rencontrer quelqu'un, prenez une chambre dans un hôtel. N'acceptez pas une invitation à son domicile.

Abréviations courantes et smileys

Ce sont les mêmes que celles qu'on utilise pour le courrier électronique, sur Usenet ou dans les salons de conversation. Le Tableau 15.1 vous propose une liste d'abréviations courantes et le Tableau 15.2 quelques smileys. Rappelons que, pour interpréter ces derniers, il faut pencher la tête du côté gauche.

Tableau 15.1 : Quelques abréviations courantes.

Abréviation	Signification anglaise	Traduction française
BBL	Be back later	Je reviendrai plus tard
BTW	By the way	A propos
IM	Instant message	Message rapide
IMHO	In my humble opinion	A mon humble avis (traduisez : "J'en suis certain.")
J/K	Just kidding	C'était pour rire
NP	No problem	Ça baigne !
ROTFL	Rolling on the floor laughing	Je suis écroulé de rire
RTFM	Read the fucked manual	Lisez donc le foutu manuel
TTFN	Ta-ta for now	A la prochaine ! (Généralement remplacé, en France, par "A +" : à plus tard.)

Tableau 15.2 : Quelques smileys.

Smiley	Signification
:D	Large sourire
:) ou :-)	Autres formes de sourires
;)	Clin d'oeil
:(ou :-(	Froncement de sourcils
:'(	Pleurs

En cas de problèmes

Certains profitent de l'anonymat pour agir d'une façon répréhensible. Si ça vous arrive, vous avez le choix entre plusieurs attitudes, quatre bonnes et une... moins bonne :

✔ Allez dans un autre salon de conversation. Certains sont désagréables, pour ne pas dire plus. Inutile de vous y attarder.

✔ Ne prêtez pas attention aux fauteurs de trouble et continuez à causer avec les autres interlocuteurs.

✔ Faites disparaître les gêneurs de votre écran. Avec AOL, par exemple, double-cliquez sur le nom d'écran de l'"'empêcheur de causer en rond" puis sur la boîte Ignorer. La méthode est quasi identique sur tous les systèmes.

✔ Faites une réclamation auprès de votre fournisseur d'accès. Cette technique est plus efficace pour les fournisseurs de contenu comme AOL.

✔ (La mauvaise option.) Répondez sur le même ton. Cela aura pour effet d'attirer l'attention sur le gêneur, ce qui est précisément ce qu'il cherchait et vous risquez d'être celui qui sera éjecté du groupe.

Causons à présent !

Sans aborder le cas des fournisseurs d'accès qui font bande à part en ce qui concerne les standards de l'Internet, comme c'est le cas pour AOL ou celui des *Web boxes* (boîtes noires connectées à votre télé pour vous ouvrir l'Internet et qui sont peu diffusées en France), il reste deux moyens de fréquenter les salons de conversation.

Causer sur le Web

De nombreux sites Web offrent un moyen de converser en direct via votre navigateur. Certains exigent que vous téléchargiez un plugin ou un contrôle ActiveX pour permettre à votre navigateur de tchatcher (reportez-vous au Chapitre 7 pour en savoir plus sur ces plugins). D'autres disposent de programmes de chat de type Java que votre navigateur peut exécuter directement.

Parmi les sites serveurs de chat figurent :

✔ **Yahoo! Tchatche :** fr.chat.yahoo.com.

✔ **Wanadoo :** www.wanadoo.fr (cliquez ensuite sur l'icône Chat).

✔ **Talk City :** www.talkcity.com.

Plus général : l'IRC

L'IRC *(Internet Relay Chat)* est le moyen le plus général de tenir des conversations sur le Web. Il faut installer un logiciel particulier : un *client IRC*, programme du même genre que votre navigateur ou votre mailer, spécialement destiné à gérer des dialogues.

A notre avis, les deux meilleurs sont les programmes shareware suivants :

- ✔ **mIRC** sous Windows.

- ✔ **Ircle** pour Macintosh.

Vous les trouverez sur le site des principaux distributeurs de sharewares comme TUCOWS (`tucows.chez.delsys.fr/`) ou sur leur site respectif (`www.mirc.com`, pour mIRC ou `www.amug.org/~ircle` pour Ircle).

Vous obtiendrez tous les détails concernant l'installation de mIRC sur sa page d'accueil (`www.mirc.com`), où vous trouverez également (en anglais) beaucoup d'informations sur l'IRC proprement dit.

Bien que la plupart des exemples que nous allons donner ici concernent mIRC, Ircle se présente de façon très semblable. Vous pouvez prendre connaissance de son aide en ligne en cliquant sur Aide, dans le menu Pomme.

En France, peu de fournisseurs d'accès ont leur propre système IRC, mais rien n'empêche leurs abonnés d'utiliser ce mode d'expression pour peu qu'ils se connectent à l'un des réseaux dont on trouvera les adresses un peu plus loin.

Comment se connecter

Après vous être connecté, lancez votre client IRC. Il va se connecter à un *serveur IRC*, machine de l'Internet servant de dispatching pour les conversations. Il en existe des douzaines dans le monde. Choisissez de préférence un serveur proche de votre domicile pour améliorer les temps de réponse. Pour cela :

- ✔ **Avec mIRC :** Cliquez sur File/Setup (ou tapez Alt+E) afin d'afficher la fenêtre de setup, puis cliquez sur l'onglet IRC Servers. Double-cliquez sur un des noms de la liste pour essayer de vous y connecter.

- ✔ **Avec Ircle :** Cliquez sur File/Preferences/Startup. Choisissez un serveur puis cliquez sur File/Save Preferences.

Beaucoup de serveurs IRC sont presque constamment saturés et risquent de refuser votre connexion. Essayez-en alors plusieurs à la suite ou persévérez sur le même.

Choix d'un réseau

Les serveurs IRC sont organisés en réseau. Bien que les serveurs de chaque réseau puissent échanger des messages, les serveurs d'un réseau particulier ne peuvent pas atteindre quelqu'un utilisant un autre réseau. Si vous avez choisi EFnet, vous ne pourrez pas causer, par exemple, avec quelqu'un qui est sur Undernet.

Les quatre plus importants réseaux et leurs pages d'accueil sont indiqués ci-après :

- ✔ **EFnet :** www.irchelp.org. C'est le réseau original et c'est celui qui a le plus d'utilisateurs.

- ✔ **Undernet :** www.undernet.org.

- ✔ **IRCnet :** www.funet.fi/~irc.

- ✔ **DALNet :** www.dal.net.

Avec mIRC, vous pourrez afficher une liste de serveurs en cliquant sur File/Setup (ou en tapant <Alt>+<E>) puis en cliquant sur l'onglet IRC servers. Puisque leur emplacement géographique est indiqué, il vous est facile d'en choisir un qui soit près de chez vous.

Les commandes IRC

Pour contrôler le déroulement des conversations au cours d'une session, il faut taper des commandes particulières. Toutes les commandes IRC commencent par un slash (/) et peuvent indifféremment être tapées en minuscules ou en majuscules ou même avec un mélange des deux. Avec mIRC, la plupart des commandes sont disponibles à partir d'un menu ou en cliquant (ou double-cliquant) sur les articles que vous voyez dans la fenêtre mIRC.

Si quelqu'un vous demande de taper une commande dont vous ignorez le rôle, *n'en faites rien !* Vous risquez de perdre le contrôle de votre programme IRC ou d'autoriser un accès frauduleux dans votre machine.

Voici quelques-unes des commandes les plus utilisées :

- ✔ **/quit :** Quitter.

- ✔ **/help :** Résumé des commandes existantes.

- ✔ **/admin *serveur* :** Informations concernant le serveur courant.

✔ /**away** : Vous allez vous absenter pendant un moment. Il n'est pas vraiment indispensable d'envoyer cette commande mais, si vous le faites, elle s'affichera sur l'écran de quelqu'un qui demanderait à vous parler.

✔ /**clear** : Efface l'écran.

✔ /**join** *canal* : Pour rejoindre un canal (nous y reviendrons un peu plus loin).

✔ /**leave** : Pour quitter un canal. Vous pouvez aussi taper /**part**.

✔ /**me** : Envoi d'un message décrivant ce que vous êtes en train de faire.

✔ /**topic** *sujet_de_la_conversation* : Définit le sujet de la conversation pour ce canal.

✔ **who** *canal* : Affiche la liste de tous les gens présents sur le canal de ce nom. /**who*** affiche la liste des personnes présentes sur le canal courant.

✔ /**whois** *nom* : Affiche quelques informations sur l'utilisateur dont le pseudo est *nom*.

✔ /**nick** *pseudo* : Pour changer votre pseudo.

✔ /**ping** *#nom_du_canal* : Affiche les informations sur le délai *(lag)* intervenant entre les échanges (le temps de réponse).

✔ /**msg** *nom message* : Envoie un message privé au participant dont le pseudo est *nom*. Seul celui-ci peut le lire.

Rappelez-vous que les lignes qui commencent par un slash sont des commandes IRC et que toutes les autres sont considérées comme des éléments de conversation. Vous pouvez obtenir les mêmes effets au moyen des commandes de la barre de menus ou des icônes de la barre d'outils.

Groupes de conversation

La façon la plus répandue de "faire de l'IRC" est d'utiliser les canaux *(channels)*. Leurs noms commencent par un dièse (#) et peuvent être écrits indifféremment en majuscules ou en minuscules. Il existe également des canaux numérotés dont le nom n'est pas précédé du dièse.

Il existe des milliers de canaux. Vous pourrez trouver une liste annotée des meilleurs à l'URL www.funet.fi/~irc/channels.html.

Voici une liste de canaux bons à connaître :

- **#irchelp** : C'est là qu'il faut poser vos questions concernant l'IRC.

- **#newbies** : A l'attention des nouveaux venus à l'IRC.

- **#21plus** et **#30plus** : Pour les tranches d'âges citées.

- **#41plus** : Pour ceux qui sont... plus mûrs, mais on y trouve aussi des jeunots.

- **#teens** : Pour les ados.

- **#hottub** : Un lieu de rencontre assez olé-olé.

- **#macintosh** : Devinez.

- **#windows95** : Ce que vous croyez.

- **#chat** : Bavardages amicaux en tous genres.

- **#mirc** : Aide aux utilisateurs de mIRC.

Du bon emploi des canaux

Pour rejoindre un canal, tapez :

```
/join #nom_du_canal
```

Avec mIRC, il suffit de cliquer sur l'icône du dossier des canaux (Channels Folder) de la barre d'outils puis de double-cliquer sur l'un des canaux dont la liste s'affiche.

Avec Ircle, cliquez sur Command/Join à partir de la barre de menus.

Une fois que vous avez rejoint un canal, tout ce que vous tapez et qui ne commence pas par un slash apparaît sur l'écran de tous les participants au canal, précédé de votre pseudo, dès que vous avez appuyé sur Entrée.

Avec mIRC, vous pouvez rejoindre simultanément plusieurs canaux. Chacun d'eux a sa propre fenêtre, qui contient une liste des partici- pants, à droite et les conversations à gauche. Au bas de la fenêtre, une boîte de saisie vous permet de taper vos propres messages.

Pour quitter un canal, vous tapez la commande **/leave**. Avec mIRC, il suffit de fermer sa fenêtre pour quitter un canal. Avec Ircle, cliquez sur Commands/Part à partir de la barre de menus.

Lags et netsplits

Ce sont les deux points noirs de l'IRC. Un *lag*, c'est le temps qui s'écoule entre le moment où vous tapez un message et celui où il s'affiche sur l'écran des participants. Cela enlève de la vivacité aux échanges de propos. Parfois, il arrive que certains participants subissent des temps de réponse plus longs que d'autres, le délai d'affichage pouvant atteindre plusieurs minutes. Pour voir quelle est la valeur courante de ce délai pour un participant particulier, *pseudo*, tapez la commande / ping pseudo.

Il peut arriver que le réseau reliant plusieurs serveurs IRC soit partagé entre plusieurs sous-réseaux. Si cette interconnexion vient à être interrompue, il risque de se produire des disparitions subites de certains groupes de participants. Ils pourront réapparaître brusquement, tous ensemble, lorsque que la liaison sera rétablie. C'est le *netsplit*.

Promenade sur les canaux

Pour voir quelles sont les connexions disponibles, avec mIRC, cliquez sur l'icône List Channels de la barre de menus. Si vous recherchez un canal particulier dont vous connaissez le nom, tapez ce nom dans la boîte de saisie Match. Si vous voulez voir quels sont les canaux dans lesquels se trouvent plusieurs interlocuteurs en évitant ceux où se morfond un seul individu, tapez le nombre minimal de participants que vous souhaitez y trouver dans la boîte de saisie min. Cliquez ensuite sur le bouton Get List. Comme la liste des canaux peut être très longue, il se peut que vous deviez attendre plusieurs minutes avant d'obtenir une réponse. Si vous voulez voir la liste des canaux de votre dossier Channels (ceux que vous fréquentez assidûment), cliquez sur l'icône Channels folder.

Dans n'importe quel programme IRC, vous pouvez afficher la liste de tous les canaux, publics et privés, en tapant la commande /**list**.

La Figure 15.2 montre comment se présente une fenêtre mIRC après qu'on a tapé cette commande. Vous pouvez y voir le nom du canal, le nombre de participants du moment et le sujet du canal.

Avec Ircle, cliquez sur Commands/List à partir de la barre de menus.

Avant de taper la commande /**list**, pour éviter que l'affichage défile à toute vitesse sans que vous ayez le temps d'en prendre connaissance, tapez /**set hold_mode on**. Plus tard, pour revenir au mode normal,

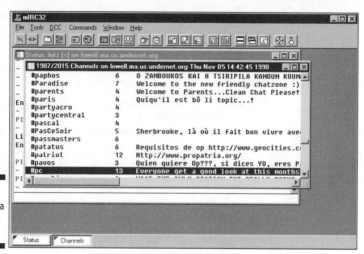

Figure 15.2 :
Résultat de la
commande /
list.

tapez **/set hold_mode off**. Vous pouvez limiter le nombre de canaux à afficher en tapant, par exemple, **/list -min 8**.

Dans la liste, Pub indique un canal public et Prv un canal privé. Le caractère @ indique un *chanop* (*channel operator*, c'est-à-dire opérateur du canal) qui est la personne ayant pour tâche de gérer tout ce qui touche au canal.

Choix d'un pseudo

Tous ceux qui pratiquent l'IRC le font sous l'identité d'un *pseudo* de neuf caractères, au plus. C'est un nom unique sur ce réseau : deux personnes du même réseau ne peuvent pas avoir le même pseudo. Si vous tentez de vous connecter sur un canal où le même pseudo est déjà en cours d'utilisation, l'accès vous en sera refusé. Ce nom peut être le même que celui que vous utilisez dans votre adresse *e-mail*, mais la plupart des gens préfèrent adopter un nom différent. Pour définir un pseudo, tapez **/nick *votrepseudo***.

A la différence des noms utilisés dans les adresses *e-mail*, un pseudo n'est pas nécessairement permanent et peut changer d'un jour à l'autre. C'est celui qui choisit le premier un pseudo qui en devient le possesseur tant qu'il reste présent. Le JacquesCh avec lequel vous venez d'avoir une longue conversation aujourd'hui ne sera peut-être pas le même demain.

Vous pouvez définir votre pseudo de prédilection de telle sorte qu'il ne vous soit pas redemandé au début de chaque session. Pour cela :

> ✔ **Avec Ircle :** Cliquez sur File/Preferences/Startup. Tapez votre pseudo dans la boîte de saisie puis cliquez sur File/Save Preferences.

> ✔ **Avec mIRC :** Cliquez sur File/Setup ou tapez Alt+E puis cliquez sur l'onglet IRC Servers. mIRC vous permet de définir un second pseudo pour le cas où le premier serait déjà en cours d'utilisation.

Pour en savoir davantage sur un participant dont vous connaissez le pseudo, tapez /**whois** *pseudo*.

Entre nous soit dit...

Pour envoyer un message à quelqu'un dont vous connaissez le pseudo, tapez /**msg** *pseudo textedevotremessage*. Cette façon de faire peut devenir lassante à la longue et ne convient guère que pour une ligne ou deux.

Pour entretenir une conversation plus longue, utilisez plutôt la commande /**query** *pseudo.* A partir de ce moment, lorsque vous taperez une ligne ne commençant pas par un slash (/), elle ne sera affichée que sur l'écran de pseudo, précédée de votre propre pseudo, dès que vous aurez tapé Entrée.

Votre conversation "privée" peut être acheminée sur plusieurs serveurs, souvent dans des pays différents. N'oubliez pas que les opérateurs de ces serveurs peuvent enregistrer tout ce qui passe sur leur machine.

Il existe un moyen plus confidentiel de discuter : l'utilisation de Direct Client Connections (DCC). Vous n'avez pas besoin d'être sur le même canal que votre interlocuteur. Il vous suffit de connaître son pseudo. Vous tapez la ligne suivante (en supposant que vous vouliez parler à Claudine) :

```
/dcc chat claudine
```

Lorsque quelqu'un tente de lancer une conversation de type DCC avec vous, mIRC vous demande si vous êtes d'accord. Si vous cliquez sur Yes, mIRC ouvre une fenêtre de conversation, construisant, en quelque sorte, un minicanal n'accueillant que deux personnes.

Vous pouvez aussi utiliser les commandes DCC pour échanger des fichiers. Par exemple, vous pouvez envoyer une photo de vous-même à la personne que vous venez de rencontrer. Si quelqu'un vous propose de vous envoyer un fichier, n'acceptez que si vous connaissez déjà bien cette personne car vous ne savez jamais ce que peut contenir ces fichiers.

Votre canal personnel

Comme nous l'avons vu plus haut, tous les canaux ont un opérateur, le *chanop*, qui a un droit de contrôle sur tout ce qui se passe sur son canal. Dans la liste des pseudos, le sien est précédé du caractère @. Pour créer un canal personnel dont vous serez, *ipso facto*, le chanop, tapez la commande suivante :

```
/join #moncanal
```

moncanal doit être un nom de canal inutilisé. Comme pour les pseudos, c'est celui qui a déclaré le premier un nom de canal qui en devient le propriétaire. Vous le conserverez aussi longtemps que vous vous serez loggé en tant que chanop. Vous avez le droit de céder ce privilège à d'autres participants. Un canal existe tant qu'il y a quelqu'un qui l'occupe ; ensuite, il disparaît.

En tant que chanop, vous avec le droit d'utiliser certaines commandes privilégiées, dont la principale est /kick qui permet d'expulser quelqu'un du canal, tout au moins pendant les trois secondes qui lui seront nécessaires pour y revenir. En général, cette mesure ne s'applique qu'à ceux qui tiennent des propos offensants ou orduriers.

Les opérateurs des serveurs peuvent expulser de façon permanente certains trublions.

Types de canaux

Il existe trois types de canaux :

- ✔ **Public :** Tout le monde peut les voir et tout le monde a le droit de s'y connecter.

- ✔ **Private :** Bien que tout le monde puisse les voir, on ne peut s'y connecter que sur invitation.

- ✔ **Secret :** La commande /list ne les affiche pas et on ne peut s'y connecter que sur invitation.

Si vous êtes déjà sur un canal privé ou secret, pour inviter quelqu'un à vous y rejoindre, tapez **/invite** *pseudo*. Si vous recevez une invitation à vous connecter sur un canal privé ou secret et que vous l'acceptiez, tapez **/join #invite**.

Plaintes et réclamations

L'IRC peut être considéré comme un pays hors la loi. Il y existe peu de règles, sinon aucune. Si les choses tournent mal, vous pouvez tenter de découvrir l'adresse *e-mail* du fauteur de troubles en tapant **/whois** *pseudo*. Si elle vous affiche son adresse, vous pourrez alors envoyer une réclamation à `postmaster`, sur le même domaine. Toutefois, n'en espérez pas grand-chose de constructif.

Chapitre 16

Transfert de fichiers

. . . .

Dans ce chapitre :

▶ Transfert de fichiers par le Web.

▶ Comment fonctionne FTP.

▶ Transfert de fichiers avec un navigateur.

▶ Transfert de fichiers avec WS_FTP.

▶ Et dans l'autre sens ?

▶ Mieux qu'un fichier, un programme !

▶ Mais où trouve-t-on tous ces fichiers ?

. . . .

L' Internet regorge d'ordinateurs, eux-mêmes remplis de fichiers : programmes en freeware ou shareware, images, audio (principalement MP3), etc. Dans ce chapitre, nous allons vous expliquer comment trouver certains de ces fichiers et vous les approprier. Au Chapitre 18, vous trouverez une liste des différents types de ces fichiers avec quelques informations sur ce que vous pouvez en faire. Symétriquement, nous vous expliquons comment télécharger un fichier depuis votre machine vers un serveur pour y déposer vos pages Web.

Télécharger signifie transférer des fichiers dans les deux sens : *downloading* (du serveur vers vous) et *uploading* (dans l'autre sens). En France, nous n'avons qu'un seul mot pour ces deux activités : *téléchargement*.

Cette opération peut d'effectuer de deux façons : avec un *navigateur* ou un *client FTP*. Le premier est probablement le plus simple à utiliser mais ne fonctionne la plupart du temps que dans un sens : depuis le serveur vers vous ; alors que les logiciels FTP spécifiques fonctionnent dans les deux sens. FTP signifie *File Transfer Protocol*, c'est-à-dire "protocole de transfert de fichiers". Enfin, vous pouvez aussi transférer des fichiers via e-mail sous forme de fichiers joints, comme nous vous l'avons expliqué au Chapitre 12.

Transfert de fichiers par le Web

Le transfert de fichiers sur le Web est si simple que vous le pratiquez sans le savoir depuis que vous utilisez un navigateur. Chaque page, chaque icône, chaque image, chaque son... est un fichier. Seulement, vous ne les conservez généralement pas.

Transfert d'une image

Pour télécharger une image sur le Web, il faut d'abord qu'elle soit affichée par votre navigateur. Vous cliquez alors dessus avec le bouton droit de la souris puis, dans le menu contextuel qui apparaît, sur Enregistrer l'image sous. Il ne vous reste plus qu'à choisir le répertoire dans lequel vous voulez la stocker et à cliquer sur Enregistrer. Vous pouvez à la rigueur modifier son nom mais surtout pas son extension.

Stocker une image sur votre disque dur n'implique pas que vous en deveniez propriétaire. La plupart des images que l'on trouve sur le Web sont protégées par un copyright. A moins que l'image ne provienne d'un site proposant explicitement des images libres de tout droit, vous devez demander la permission à son légitime propriétaire si vous comptez la réutiliser dans un but commercial ou même dans une page Web personnelle.

Transfert d'un programme

Transférer un fichier de programme n'est pas très différent : il vous suffit de cliquer sur le lien qui le propose et qui comporte généralement le mot "download" ou "télécharger". Votre navigateur vous demandera presque toujours ce que vous voulez en faire. Vous devrez répondre que vous souhaitez l'enregistrer sur disque.

Il existe de nombreux serveurs de fichiers dont l'un des plus connus est TUCOWS[1] *(The Ultimate Collection of Windows Software)* à l'URL est `tucows.chez.delsys.fr`. Dans sa page d'accueil, cliquez sur le nom du système d'exploitation que vous utilisez (en dépit de son nom,

---

[1] TUCOWS se prononce comme "two cows" (les deux vaches). C'est pourquoi le logo de ce serveur représente deux têtes de bovidés. (N.d.T.)

TUCOWS contient également des fichiers pour Macintosh et même
pour OS/2). Choisissez ensuite le type de programme qui vous
intéresse dans une abondante liste de catégories (Figure 16.1). Dans ce
que TUCOWS va alors vous afficher, il ne vous reste plus qu'à choisir,
guidé par une brève description de chaque fichier ainsi qu'une
appréciation exprimée en nombre de vaches (5 étant la meilleure
cote).

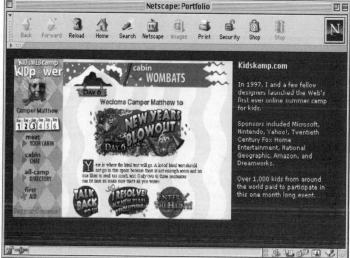

Figure 16.1 :
Choisissez un
type de
programme
pour afficher
la liste des
logiciels
disponibles
dans cette
catégorie.

Transfert d'autres types de fichiers

Pour les autres types de fichiers (audio ou vidéo, par exemple), la
même procédure s'applique telle quelle. Il vous suffit de trouver une
page Web qui propose en téléchargement le fichier que vous recherchez.

Comment fonctionne FTP

Transférer un fichier via FTP implique deux partenaires : le *serveur* (la
machine où se trouve le fichier que vous convoitez) et le *client* (votre
micro).

La vertu de l'anonymat

Avant de pouvoir télécharger des fichiers depuis un serveur, vous devez vous y *logger* en donnant un nom d'utilisateur et un mot de passe. Or, à de très rares exceptions près, vous n'avez pas de compte ouvert sur cette machine. Par bonheur, il existe un artifice très simple pour contourner cet obstacle : le recours à l'anonymat. Vous allez indiquer *anonymous* comme nom d'utilisateur et votre adresse e-mail en guise de mot de passe.

Us et coutumes du FTP anonyme

De nombreux serveurs FTP imposent une limite au nombre de clients qu'ils peuvent accueillir simultanément. Si vous arrivez trop tard, vous serez rejeté. Ce n'est d'ailleurs pas parce que vous serez admis que vous aurez droit à une bonne qualité de service. Si vous êtes le quarante-septième utilisateur alors que la limite est de 50, le temps de réponse risque de se dégrader sérieusement.

Lorsque vous voulez envoyer des fichiers dans le même mode (anonyme) vers un serveur FTP, vous n'avez pas le droit de les envoyer dans n'importe quel répertoire. En général, il y en existe un prévu pour cela et qui s'appelle : `up`, `uploading`, `incoming` ou quelque chose du même style.

Transfert de fichiers avec un navigateur

Comme nous l'avons dit plus haut, si la plupart des navigateurs sont capables de faire du FTP, ils ne peuvent le faire que du serveur vers votre disque dur. Vous devrez alors utiliser une URL particulière dont le protocole ne sera pas `http://` mais `ftp://`.

D'abord, l'URL

Pour commander à votre navigateur de se brancher sur un serveur FTP, vous devez lui indiquer l'URL de ce dernier précédée de `ftp://` et suivie du chemin d'accès complet du fichier, lui-même suivi du nom du fichier. Supposons, par exemple, que vous vouliez télécharger le fichier `abcd23.zip` qui se trouve dans le répertoire `/pub/windows/image` du serveur FTP dont l'adresse électronique est `ftp.ibp.fr`. Vous devrez indiquer l'URL suivante :

```
ftp://ftp.ibp.fr/pub/windows/image/abcd23.zip
```

Mais, vous pouvez aussi décomposer l'opération en indiquant d'abord une partie de l'URL :

```
ftp://ftp.ibp.fr/
```

Votre navigateur affichera alors le répertoire racine du serveur et, de proche en proche, par une succession de clics dans une cascade de répertoires, vous finirez par atteindre le fichier qui vous intéresse.

Hé, c'est moi !

Certains navigateurs – Netscape Navigator en particulier – peuvent prendre en compte d'autres types de transferts que des transferts anonymes. Si vous avez une boîte aux lettres (c'est-à-dire une adresse *e-mail*) chez votre fournisseur d'accès, vous pouvez inclure votre identifiant dans l'URL qui se présentera alors ainsi :

```
ftp://jules.dupont@ftp.gurus.com
```

Une fois la connexion établie avec le serveur, vous devrez indiquer votre mot de passe, qui sera généralement le même que celui que vous aurez utilisé lors de votre connexion initiale.

Transfert de fichier avec un navigateur

Quel que soit le navigateur que vous utilisez, la marche à suivre pour transférer des fichiers est la suivante :

1. Après avoir lancé votre navigateur comme à l'accoutumée, tapez l'URL du serveur FTP que vous voulez contacter. Une fois la connexion établie, vous verrez s'afficher le répertoire (Figure 16.2) où chaque fichier ou répertoire apparaît sous forme de lien.

2. Placez-vous dans le répertoire contenant le fichier que vous voulez télécharger en cliquant en cascade sur la succession des répertoires nécessaire.

3. Téléchargez le fichier en cliquant sur son nom. S'il s'agit d'un fichier texte ou d'un autre fichier que le navigateur sait comment traiter, il l'affichera après l'avoir téléchargé. Si vous voulez

le sauvegarder, cliquez sur Fichier/Enregistrer sous et choisissez le répertoire de destination dans la boîte de sélection de fichier qui s'affiche.

Figure 16.2 :
Netscape
Navigator
transformé
en client FTP.

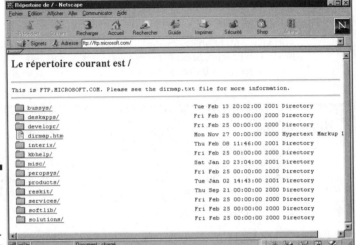

4. Si le navigateur ne sait pas le traiter directement, il va afficher la boîte de dialogue reproduite sur la Figure 16.3. Cliquez alors sur le bouton Enregistrer le fichier.

5. Dans la boîte de sélection qui s'affiche alors, choisissez le disque et le chemin d'accès dans lequel vous voulez que soit téléchargé votre fichier.

Figure 16.3 :
Netscape
Navigator
vous
demande ce
qu'il doit faire
de ce fichier.

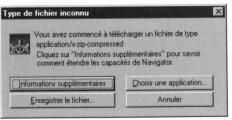

Transfert de fichiers avec WS_FTP

Les principales étapes à suivre pour utiliser un client FTP quel qu'il soit sont plus compliquées mais plus sûres que lorsque vous utilisez un navigateur. Dans ce qui suit, nous utiliserons le client FTP WS_FTP, sans doute le plus populaire de tous les clients FTP.

Comment vous procurer WS_FTP

Vous allez choisir pour cela votre navigateur habituel puisque vous n'avez pas encore de client FTP.

1. **Pointez votre navigateur sur le site miroir français de TUCOWS :** `tucows.chez.delsys.fr.`

2. **Choisissez le type de système (Windows 95 ou 98) qui est celui que vous utilisez et cliquez sur le lien des programmes FTP.**

3. **Dans la liste des programmes qui s'affiche, cliquez sur WS_FTP LE.**

   Indiquez alors à votre navigateur le nom du répertoire dans lequel vous voulez que soit placé WS_FTP. Le téléchargement va commencer. Une fois qu'il est terminé, déconnectez-vous.

Installation de WS_FTP

Lancez le programme d'installation `Ws_ftple.exe`. Le programme d'installation va vous poser une série de questions et, en particulier, vous demander où vous souhaitez installer WS_FTP. Vous pouvez accepter ce qu'il vous propose.

Utilisation de WS_FTP

Nous supposerons que la connexion avec votre fournisseur d'accès est déjà réalisée. Voici alors la marche à suivre pour télécharger un fichier :

1. **Lancez WS_FTP en double-cliquant sur son icône.** L'écran affiche la fenêtre Propriétés de session, ouverte sur l'onglet General, qui est reproduite sur la Figure 16.4. C'est là que nous devons indiquer la plupart des renseignements nécessaires au transfert.

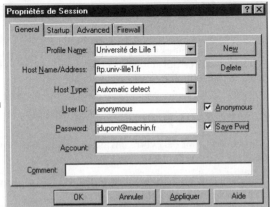

Figure 16.4 :
Le volet
General de la
fenêtre des
Propriétés de
session de
WS_FTP.

2. **Dans la boîte de saisie marquée Profile Name, indiquez le nom avec lequel vous allez repérer le serveur FTP dans votre "carnet d'adresses".** Ici, ce sera par exemple "Université de Lille 1".

3. **Dans la boîte de saisie Host Name, indiquez son adresse électronique.** Dans ce cas, ce sera : ftp.univ-lille1.fr.

4. **Laissez la boîte de saisie Host Type telle quelle (Automatic detect).**

5. **Cliquez sur Anonymous Login**.

6. **Dans la boîte de saisie Password, votre adresse *e-mail* s'affiche automatiquement.** Cliquez sur la case à cocher Save Password pour l'enregistrer.

7. **Cliquez maintenant sur l'onglet Startup.** Dans la nouvelle fenêtre qui s'ouvre (reproduite sur la Figure 16.5), indiquez le répertoire où se trouve votre fichier dans la boîte de saisie Initial Remote Host Directory, par exemple, /pub/pc/coast/ win95/winword. Attention à bien utiliser les barres obliques **normales**.

8. **Dans la boîte de saisie Initial Local PC, indiquez le chemin d'accès au répertoire où doit être reçu le fichier**. Par exemple : c:\poubel (avec un slash normal ou un antislash, peu importe).

9. **Laissez les autres cases vierges.**

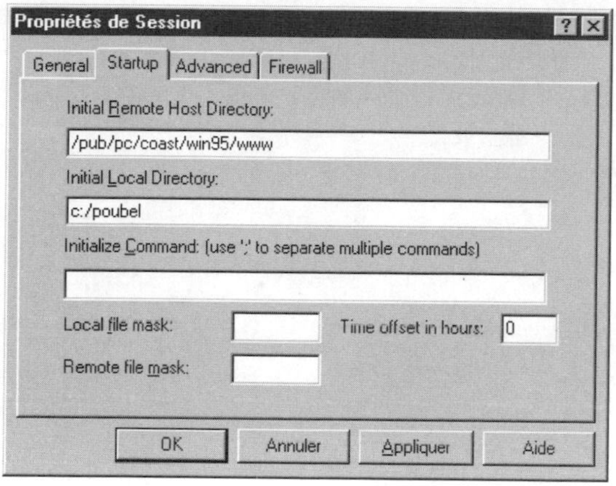

Figure 16.5 :
Le volet
Startup de la
fenêtre des
Propriétés de
session de
WS_FTP.

10. **Cliquez sur le gros bouton Appliquer situé au bas de la fenêtre pour sauvegarder cette configuration.**

11. **Enfin, cliquez sur OK pour lancer le transfert.** WS_FTP va alors tenter de se connecter sur le serveur. S'il y réussit et que le fichier à transférer existe bien à l'emplacement annoncé, le transfert va s'initialiser tout de suite.

Il ne veut pas me parler !

Si la connexion ne parvient pas à s'établir pour une raison ou une autre, des messages vont s'afficher dans la petite fenêtre de deux lignes au bas de la fenêtre de WS_FTP. Pour lire commodément ces messages, cliquez sur le bouton LogWnd : une plus grande fenêtre s'ouvre, dans laquelle sont affichés les échanges de messages client/serveur.

Le transfert est lancé

Une fois les présentations faites entre serveur et client, le contenu du répertoire que vous avez choisi sur le serveur est affiché dans la fenêtre de droite, tandis que la fenêtre de gauche présente le contenu de votre propre répertoire (Figure 16.6). De chaque côté, se trouvent des boutons permettant de changer de répertoire (ChgDir), d'en créer (MkDir) ou d'en supprimer (RmDir). Bien entendu, vous ne pouvez pas supprimer ou modifier des éléments d'un serveur FTP. Les petits

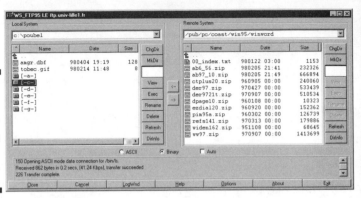

Figure 16.6 :
Les deux
répertoires
(client et
serveur) face
à face, prêts
pour le
transfert.

boutons figurant des flèches entre les deux fenêtres permettent de transférer les fichiers.

Pour passer d'un répertoire à un autre sur le serveur FTP, sélectionnez les noms des répertoires dans la boîte à liste. Vous pouvez également cliquer sur le bouton ChgDir et entrer le chemin complet du répertoire que vous voulez atteindre.

Voici comment procéder pour recopier un fichier :

1. **Cliquez sur le bouton radio ASCII ou Binary au bas de la fenêtre.** Le mieux est de cliquer sur le bouton radio Auto. WS_FTP fera de lui-même le bon choix en fonction de son extension.

2. **Parmi les répertoires du serveur FTP, choisissez le fichier que vous voulez télécharger.** Cliquez sur le nom du fichier souhaité dans la liste de droite.

3. **Choisissez le répertoire local dans lequel vous voulez placer le fichier.** Dans la liste de gauche, sélectionnez le répertoire dans lequel vous voulez stocker le fichier.

4. **Cliquez sur le bouton figurant une flèche pointant vers la gauche au centre de la fenêtre.** Le transfert commence. Une petite fenêtre va s'afficher vous renseignant sur le déroulement de ce transfert en indiquant le pourcentage de la quantité d'informations transmises ainsi que la vitesse moyenne du transfert.

C'est fini !

Pour vous déconnecter du serveur, cliquez simplement sur le bouton Close, en bas et à gauche de la fenêtre.

Garçon, remettez-nous ça !

Pour vous reconnecter sur le même serveur ou sur un autre, cliquez sur le bouton Connect (c'est le bouton Close qui a changé de nom). S'il s'agit d'un serveur que vous avez déjà utilisé et dont vous avez sauvegardé les paramètres, faites défiler la boîte à liste déroulante des propriétés de session (marquée Profile Name) jusqu'à retrouver son nom, puis cliquez sur OK.

Et pour les utilisateurs de Macintosh ?

Vous utiliserez l'excellent programme de Jim Mathews, Fetch, qui vous offre la possibilité de télécharger des fichiers soit sous forme d'informations brutes *(raw data)*, soit sous forme binaire *(MacBinary)*. Avec cette dernière, on associe les composantes *(forks)* d'un fichier Macintosh en un seul fichier afin que le tout puisse voyager dans le même emballage. A n'utiliser que pour des fichiers spécifiquement Mac, comme des programmes pour Macintosh. Ne l'employez surtout pas pour des fichiers texte ou des fichiers image. Les fichiers binaires ont généralement l'extension .bin.

Pour vous procurer Fetch, pointez votre navigateur sur l'URL www.dartmouth .edu/pages/softdev/fetch.html. Vous y trouverez toutes les informations utiles pour télécharger le programme.

L'erreur la plus fréquente

L'erreur la plus fréquente, c'est d'effectuer un transfert de fichier dans le mauvais mode. Si, par exemple, vous avez transféré, depuis une machine UNIX vers un PC ou un Macintosh, un fichier texte en mode binaire, lorsque vous examinerez votre fichier vous allez voir quelque chose comme :

```
Il aurait fallu
                copier ce fichier
                                en mode texte (ASCII).
```

Sur un Macintosh, la totalité du fichier semblera ne contenir qu'une seule (immense) ligne. Il n'est généralement pas nécessaire de recommencer le transfert, car la plupart des packages d'utilitaires réseau contiennent ce qu'il faut pour remettre les choses en ordre.

A l'inverse, si vous avez transféré un fichier binaire (programme, image...) en mode texte, il n'y a plus rien à faire, sauf recommencer le transfert en laissant faire votre client FTP si, comme WS_FTP, il a la capacité de choisir le "bon" mode.

Et dans l'autre sens ?

Si vous écrivez des pages Web, il faudra bien que vous en passiez par là pour les installer sur le serveur.

Avec un navigateur

Avec Netscape Navigator, vous devez commencer par vous logger sur le serveur Web sous votre propre nom en utilisant une URL du type :

```
ftp://mon_id@www.monserveur.fr/
```

où www.monserveur.fr est le nom de votre fournisseur d'accès et mon_id votre identifiant, celui que vous utilisez lorsque vous vous connectez sur sa machine. Une boîte de dialogue va ensuite vous demander votre mot de passe. Ici encore, indiquez celui que vous devez donner pour vous connecter. Si tout se passe bien, vous allez vous trouver dans le répertoire qui vous a été alloué sur le serveur. Si vous voulez en utiliser un autre, cliquez sur son nom.

Une fois que vous êtes dans le répertoire qui vous intéresse, faites glisser le nom du fichier à copier depuis un autre programme (par exemple l'explorateur Windows) jusque dans la fenêtre de Netscape Navigator. Vous pouvez aussi cliquer sur Fichier/Télécharger le fichier sur.

Avec WS_FTP

Commencez par vous connecter comme nous venons de vous l'expliquer, mais, cette fois, en donnant votre identifiant de connexion et votre mot de passe. Une fois les répertoires entrant et sortant définis, double-cliquez sur le nom du fichier à transférer (cette fois situé dans la fenêtre de gauche) ou cliquez une seule fois sur son nom puis sur la flèche tournée vers la droite dans l'espace qui sépare les deux fenêtres.

Mieux qu'un fichier, un programme !

De nombreux programmes sont conservés sur les serveurs FTP sous forme compactée. D'autres le sont sous forme de fichiers *autoextractibles*. Une fois transférés chez vous, la façon de les installer est différente.

La décompression des fichiers

Sur les PC, les fichiers compactés portent presque toujours l'extension .ZIP. Le programme de décompression le plus utilisé est WinZip. Il peut travailler dans les deux sens : compacter ou décompacter. Les adorateurs de la pomme disposent, pour cela, du programme unzip.

Pour vous procurer WinZip, connectez-vous sur son site officiel : www.winzip.com. La version freeware est une version d'évaluation qui porte actuellement le numéro 8.0. Cliquez sur le lien marqué Download Evaluation pour accéder à la page de téléchargement, puis téléchargez la version correspondant à votre système.

Pour installer WinZip, procédez ainsi :

1. **Lancez le programme que vous venez de télécharger** Double-cliquez sur le fichier d'installation qui porte le nom Winzip80.exe.

2. **Suivez les instructions qui vous seront données.** La règle consiste généralement à accepter toutes les propositions qui vous sont offertes.

Pour les utilisateurs de Macintosh, c'est StuffIt

Vous trouverez un programme de décompression sur le serveur ftp.uu.net, dans le répertoire /pub/archiving/zip/MAC, ou sur le serveur ftp.doc.ic.ac.uk, dans le répertoire /packages/zip/MAC. C'est un fichier dont le nom ressemble à unz530x.hqx (le nom exact dépend du numéro de la dernière version en cours).

Il existe également un programme, très populaire parmi les macophiles, appelé StuffIt. Il en existe plusieurs versions, dont une commerciale portant le nom de StuffIt Deluxe. Le nom des fichiers qu'il traite se termine généralement par l'extension .sit.

En avant, WinZip !

Double-cliquez sur l'icône du programme pour afficher une fenêtre ressemblant à la Figure 16.7.

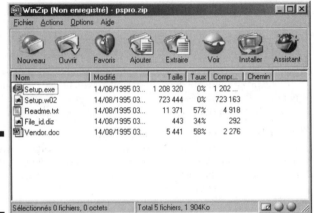

Figure 16.7 : Ecran d'ouverture de WinZip 8.0.

Pour ouvrir un fichier zippé, cliquez sur le bouton Ouvrir et choisissez le répertoire où vous voulez qu'il soit placé. WinZip affiche alors une liste des fichiers contenus dans ce que vous lui soumettez avec différentes informations dont leur taille et leur date de création.

Dézippez-le !

Une fois le fichier zip ouvert, encore faut-il extraire le ou les fichiers intéressants. Voici la marche à suivre :

1. **Choisissez le fichier à extraire dans la liste affichée.** S'il s'agit d'un programme complet, vous devez **tout** sélectionner. Il suffit alors – paradoxalement, mais c'est comme ça ! – de ne rien sélectionner du tout.

2. **Cliquez sur le bouton Extraire.** Une boîte de dialogue vous demande dans quel répertoire vous voulez ranger les fichiers décompactés.

3. **Sélectionnez le répertoire qui vous convient et cliquez sur OK.**
   Le fichier d'origine (.ZIP) reste inchangé après l'opération de
   décompactage.

Gare aux virus !

C'est le mal du siècle (enfin, des siècles : de celui qui vient de finir
comme de celui qui commence). Ils se glissent partout, et bien que les
responsables des sites FTP fassent de leur mieux pour s'assurer que
ce qu'ils proposent n'en contient aucun, ils ne peuvent rien vous
garantir. C'est donc à vous de procéder à une vérification avant
d'*exécuter* des programmes reçus par FTP.

Nous disons bien "exécuter" car, hormis le cas particulier de certains
fichiers .DOC de Word (pour des raisons qu'il serait oiseux d'exposer
ici), un virus ne peut faire de dommage que si l'on *exécute* un programme. Il ne va pas sauter depuis un fichier texte ou un fichier image
et se mettre à ronger votre disque dur.

Des antivirus (entendez : des programmes de détection et d'éradica-
tion de virus), il y en a beaucoup. Des bons et des moins bons. Parmi
les bons, citons McAfee (www.mcafee.com), Norton AntiVirus
(www.symantec.com) ou encore AVP (Kasperski AntiVirus).

Si vous utilisez WinZip, vous pouvez configurer le programme de sorte
qu'il lance un antivirus chaque fois que vous tentez de décompresser
un fichier ZIP contenant un programme. Dans la barre de menus de la
version 8.0 de WinZip, choisissez Options/Configuration, puis cliquez
sur l'onglet Localisation des programmes. Tapez ensuite le chemin
d'accès de votre programme de détection de virus dans la zone
intitulée Antivirus en option.

Cinquième partie

Les dix commandements

"Ça devrait aller maintenant. Je lui ai fait passer deux heures et demie sur le chat des prisonniers."

Dans cette partie...

Il y a quelques sujets importants qui n'entrent pas dans la classification adoptée pour ce livre, c'est pourquoi nous les avons regroupés ici sous forme de listes.

Chapitre 17

Les dix questions les plus fréquemment posées

· ·

Dans ce chapitre :

▶ Réponses à quelques questions générales sur l'Internet.

▶ Ce que nous pensons des ordinateurs, des fournisseurs d'accès et autres sujets favoris.

· ·

Tous les matins, nous découvrons un tas de questions dans notre *e-mail*. Nous allons en traiter quelques-unes ici, parmi celles qui reviennent le plus souvent, dans l'espoir que les réponses que nous y apporterons pourront vous être utiles.

Pourquoi n'y a-t-il pas ici d'instructions détaillées, étape par étape ?

Deux explications nous viennent à l'esprit. L'une est que nous ne savons pas quel type de système ou quels logiciels vous utilisez pour accéder à l'Internet (AOL, Netscape Navigator, Internet Explorer, etc.). Nous avons tenté de vous donner suffisamment de notions de base pour que vous compreniez la façon dont fonctionne l'Internet, et même, dans certains cas, nous avons été jusqu'à vous donner des instructions propres aux systèmes les plus utilisés.

L'autre explication, c'est que ces programmes changent tout le temps. Au moment où vous lirez ces lignes, il y aura peut-être eu des versions encore plus récentes dont le fonctionnement sera différent de ce que nous avons décrit. Nous pensons que les connaissances générales que vous aurez acquises par la lecture de ce livre vous permettront de vous débrouiller dans tous les cas.

L'Internet et le Web, c'est la même chose ?

Absolument pas. L'Internet est né en 1969 et c'est un réseau de réseaux. Le World Wide Web est né vingt ans après, en 1989, et c'est un système d'informations interconnectées (présentées sous forme de pages Web) qui **réside sur** l'Internet. Au cours de ces dernières années, le Web est devenu le moyen le plus répandu d'utiliser l'Internet, et les navigateurs Web permettent maintenant de faire à peu près tout ce qui est possible sur le Net. Par exemple, avec Netscape Navigator, vous pouvez *aussi* recevoir du courrier électronique, lire les forums de Usenet (ou leurs archives à l'URL www.deja.com). Mais l'Internet propose des tas d'autres services que le Web, par exemple des messageries instantanées ou des jeux multi-utilisateurs.

Quelle différence y a-t-il entre un navigateur et un moteur de recherche ?

Un *navigateur* est un programme qui permet à votre ordinateur d'afficher des pages du World Wide Web. Un *moteur de recherche* (dit aussi *répertoire* ou *index*) vous aide à trouver les pages qui concernent tel ou tel sujet vous intéressant. Netscape Navigator, Internet Explorer sont des navigateurs. Yahoo!, AltaVista, Lycos, Infoseek, Voila sont des moteurs de recherche. Pour une comparaison imagée et peut-être plus explicite, vous pouvez considérer le navigateur comme un téléphone et le moteur de recherche comme un annuaire téléphonique. Voyez le Chapitre 8 pour en savoir plus sur les moteurs de recherche.

Dois-je acquérir une boîte Internet ?

D'abord, songez aux conflits qui vont surgir sur l'utilisation de la télé domestique. Ensuite, si vous résidez en France, attendez donc un peu. Actuellement, les prix en sont bien trop élevées pour le peu qu'elles font.

Est-ce que je peux modifier mon adresse électronique ?

Sur de nombreux systèmes, il est impossible de changer son adresse électronique. Mais la plupart des fournisseurs d'accès vous autorisent à posséder plusieurs boîtes aux lettres. Alors, la solution consiste évidemment à en créer une nouvelle et à laisser tomber l'ancienne. D'un autre côté, certains comme AOL, Wanadoo et Infonie (pour ne citer qu'eux) autorisent leurs utilisateurs à changer de nom à leur gré.

Il existe une autre solution qui est de recourir à des services de réacheminement agissant à la façon d'une boîte postale. Ils reçoivent du courrier électronique chez eux, à une adresse que vous avez choisie et le réacheminent vers votre ancienne adresse électronique. Citons, par exemple : FaireSuivre (`www.fairesuivre.com`), La Poste (`www.laposte.net`), Yahoo! (`mail.yahoo.fr`), CaraMail (`www.caramail.com`), Iname (`www.iname.com`), Hotmail (`www.hotmail.com`)...

Comment puis-je transférer un fichier depuis mon traitement de texte vers mon logiciel de courrier ?

Cela dépend en partie de ce que vous voulez envoyer : simplement les mots ou les mots accompagnés de leur mise en forme. Ça dépend aussi du destinataire auquel vous envoyez votre courrier et des moyens qu'il va utiliser pour le recevoir.

Tout le monde peut lire du texte pur et, si vous estimez que c'est suffisant, il n'y a pas de problème. Il vous suffit de quelques opérations de couper/coller pour recopier du texte à partir de votre traitement de texte vers votre logiciel de courrier.

D'un autre côté, si votre logiciel de courrier et celui de votre destinataire peuvent gérer des fichiers attachés sous forme de pièces jointes et que vous utilisiez tous deux le même traitement de texte, rien ne vous empêche d'envoyer votre texte formaté en pièces jointes comme nous vous l'avons indiqué au Chapitre 11.

Est-il prudent de donner mon numéro de carte de crédit sur le Net ?

Chacun se fait une idée personnelle de la notion de risque. Certains pensent que l'usage même d'une carte de crédit n'est pas sans risque. Ce sont sans doute les mêmes qui se représentent le Net comme une caverne de brigands où chacun essaie de voler les numéros des cartes de crédit des autres.

Ne vous est-il jamais arrivé de faire un achat par correspondance et d'indiquer votre numéro de carte de crédit par téléphone ou par Minitel ? N'avez-vous jamais auparavant jeté distraitement sans la déchirer votre facturette (dans le cas d'emploi, devenu rare, du "fer à repasser") ? Voilà bien des occasions de se faire dérober son numéro de carte. C'est vous qui décidez, comme dirait quelqu'un...

Pour en savoir plus, voyez le Chapitre 9.

L'Internet, est-ce plus qu'un gadget ?

Et comment ! L'Internet a quitté le ghetto des milieux universitaires pour devenir, en même temps que les ordinateurs personnels, un élément de notre vie quotidienne. Mais alors que ces machines ont mis beaucoup de temps à quitter l'univers professionnel pour pénétrer dans l'univers familial, l'Internet, lui, a pris un départ sur les chapeaux de roues. Certes, vous pouvez rester dans l'ignorance et vous passer de l'utilisation d'un tel outil pendant quelque temps encore. Mais si vous êtes prof, élève ou étudiant, si vous êtes dans les affaires ou si vous recherchez un job, une telle attitude ne fera que vous desservir.

Quel est le meilleur fournisseur d'accès ?

Qu'est-ce que vous entendez par "le meilleur" ? Pour beaucoup, ça signifie "le moins cher". Ce n'est pas forcément le plus efficace ni celui qui vous donnera la meilleure qualité de service. Ne vous précipitez pas sur celui qui coûte le moins cher : son espérance de vie risque de se réduire.

Si tout ce que vous voulez faire, c'est échanger du courrier électronique et surfer sur le Web, à peu près n'importe lequel sera bon, dans une gamme de prix assez serrée. Si vous n'avez jamais utilisé d'ordinateur de votre vie, nous vous recommandons de choisir un prestataire qui vous facilitera la vie par la convivialité de ses interfaces et la qualité de son assistance technique. Seulement, ça, vous ne vous en apercevrez peut-être que trop tard. Consultez leur offre : gratuit ou forfait, heures d'ouverture et prix de l'assistance, services offerts... Consultez le Chapitre 4 pour en savoir davantage ?

Essayez de savoir par vos amis ce que vaut l'assistance du prestataire qui vous paraît le meilleur. De nos jours, ce n'est pas la technique qui fait la différence, mais la qualité du service. C'est pourquoi il est inutile de perdre votre temps avec un prestataire qui n'a pas encore compris cette notion.

Comment gagner de l'argent avec l'Internet ?

Les Américains, pour qui "business is business", ont depuis longtemps (enfin, tout est relatif, vu l'âge de l'Internet) trouvé le moyen de faire de l'argent avec l'Internet, au grand désespoir des Pères fondateurs. A partir du moment où l'on comprend que l'Internet est un moyen de communication comme les autres, on ne voit pas pourquoi il ne serait pas possible de l'utiliser pour se faire connaître, pour vendre ou pour acheter.

D'abord, méfiez-vous des sites qui vous offrent de rémunérer votre surf à raison de tant de centimes le clic sur leurs bannières publicitaires. Après avoir connu un grand engouement fin 1999, cette pratique alléchante a montré ses faiblesses et, en particulier, l'instabilité de son modèle économique. Si bien que, mi-2001, il n'en reste plus guère en activité et c'est tant mieux.

Nous vous recommandons d'acquérir pour commencer une bonne connaissance du Net, de ses mœurs et de ses coutumes. Pour cela, la fréquentation assidue des forums et des listes de diffusion est une bonne voie. Plus vous aurez d'expérience pratique, mieux vous serez à même de voir quelle utilisation commerciale vous pouvez faire de l'Internet. Suivez vos inclinations : préférez les groupes de news et les listes de diffusion traitant de sujets qui vous passionnent. Vous y découvrirez des tas de gens intéressants et ça vous donnera des idées. Ce que vous apprendrez ainsi vous guidera dans la mise sur pied de formules commerciales appropriées à votre secteur d'activité.

Une dernière recommandation qui va de soi : si l'on vous dit que vous pouvez vous enrichir sur le Net sans trop d'efforts, sans nécessairement faire preuve d'imagination et de détermination, sachez que l'"on" vous ment. L'Internet n'est, à cet égard, en rien différent du reste du monde.

Quel type d'ordinateur dois-je utiliser sur le Net ?

Si vous achetez un nouvel ordinateur principalement pour surfer sur le Net, choisissez un modèle raisonnablement rapide. Aujourd'hui, les PC équipés de 486 sont depuis longtemps passés de mode, le Pentium III et l'Athlon dominent. Le Pentium IV commence à montrer le bout de son nez. Les grandes surfaces proposent des machines neuves dont le processeur tourne aux alentours de 1 GHz, correctement configurées, pour moins de 10 000 francs.

Pour nous, le monde des ordinateurs se partage en deux parties : les PC et les Macintosh. Lequel des deux préférez-vous ? La légende veut que les Macintosh soient plus faciles à utiliser. C'était peut-être vrai, en apparence, jusqu'à l'avènement de Windows. D'un autre côté, malgré des baisses de prix substantielles, ils restent nettement plus chers, à performances égales, que les PC. La cause en est principalement la politique d'isolement et de protectionnisme forcené maintenue jusque mi-95 par Apple. De toute façon, les deux conviennent. Si un de vos amis possède déjà une machine d'un type, achetez la même que lui, ça pourrait vous aider à démarrer.

Méfiez-vous des conseils, même désintéressés, qu'on peut vous prodiguer dans votre entourage. "Les conseilleurs ne sont pas les payeurs." N'écoutez que ceux qui ont le même type d'utilisation que le vôtre. Lisez des revues d'informatique : elles sont remplies de bancs d'essai. N'en lisez pas qu'une seule : faites des recoupements entre plusieurs.

Et que faire si vous avez un Amiga ou toute autre marque peu répandue ou défunte ? Il existe certainement des logiciels vous permettant de vous raccorder à l'Internet mais ils ne sont pas de la dernière fraîcheur.

Comment puis-je effacer de mon navigateur la liste des pages Web que j'ai visitées ?

Nous recevons assez souvent cé type de question, généralement en provenance de la gente masculine. Voici comment effacer la liste des sites Web qui apparaissent dans la boîte d'adresse en haut de la fenêtre de votre navigateur : Avec Netscape Navigator 4.x, choisissez Edition/Préférences, puis Navigator dans la liste des catégories, enfin cliquez sur le bouton Effacer la barre d'outils d'adresse. Avec Internet Explorer 5.0, choisissez Outils/Options Internet, cliquez sur l'onglet Général, puis sur le bouton Effacer l'Historique.

Chapitre 18

Dix sortes de fichiers et ce qu'on peut en faire

Dans ce chapitre, nous allons passer en revue les principales sortes de fichiers qu'on peut rencontrer sur le Net, apprendre à les reconnaître et tenter d'en tirer le meilleur parti.

Combien y a-t-il de sortes de fichiers ?

Des centaines, pour le moins. Heureusement, on peut les répartir en cinq catégories générales :

✔ **Texte :** Fichiers qui, curieusement, contiennent du texte.

✔ **Exécutables :** Fichiers que vous pouvez exécuter ou lancer ; autrement dit, des programmes.

✔ **Compressés :** Archives, fichiers ZIP, SIT et autres formats compressés.

✔ **Graphiques, audio, vidéo :** Ce sont des fichiers qui contiennent des images ou des sons codés avec différents formats. Sur le Web, les images sont généralement au format GIF ou JPEG ; les fichiers audio, au format WAV (Windows) RAM (RealAudio) ou MP3 (musique). Les fichiers vidéo contiennent des films numérisés.

✔ **Données :** Tout autre type de fichiers. Les fichiers des feuilles de calcul Excel, par exemple, en sont des représentants très connus.

Le nom d'un fichier – et en particulier son extension (ce qui est situé à droite du point) – vous donne déjà une indication sur ce qu'il peut contenir. En général, la personne qui a créé le fichier a cherché à lui donner un nom significatif. Avec UNIX, Linux et Windows 32 bits, on peut trouver un point dans le nom proprement dit du fichier, ce qui rend d'autant plus difficile l'identification d'après le seul nom.

Du texte pur

Les fichiers texte contiennent... du texte. Parfois, ce texte est directement lisible, tel celui d'un manuscrit. D'autres fois, c'est le code source d'un programme d'ordinateur écrit en C ou en Pascal, en Fortran, en Ada, en assembleur, en Eiffel... Du texte peut aussi représenter des données pour un programme. Les fichiers destinés à être imprimés sur une imprimante PostScript constituent une espèce à part (voir l'encadré "C'est un programme qui dessine une image", plus loin dans ce chapitre).

Sur les PC, les fichiers en texte pur (sans aucune mise en forme) ont généralement l'extension .txt. Vous pouvez voir ce qu'ils contiennent grâce à un utilitaire comme le BlocNotes de Windows. Avec un Macintosh, utilisez SimpleText ou BBEdit Lite. Vous pouvez aussi, dans les deux cas, recourir à un traitement de texte.

Il n'y a pas grand-chose d'autre à dire sur les fichiers texte. Vous les reconnaissez du premier coup d'œil. Comme nous l'avons dit au Chapitre 16, la façon dont le texte est conservé dans un fichier varie d'un système à l'autre.

Certains fichiers texte ne sont pas réellement des fichiers texte. C'est notamment le cas des fichiers contenant des caractères respectant le format UNICODE. Alors que la norme ASCII n'autorise que 92 caractères différents, l'UNICODE peut en représenter jusqu'à 65 000 et quelques et s'efforce de couvrir tous les langages à l'usage aujourd'hui, dont les idéogrammes chinois, japonais et coréens.

Quelles sont vos dernières volontés, avant d'être exécuté ?

Les *fichiers exécutables* sont des programmes que vous pouvez lancer sur un ordinateur. On en trouve sur toutes les machines. Un fichier exécutable destiné à un certain type de machine ne peut pas être exécuté sur une autre machine.

Les programmes exécutables qu'on trouve en plus grand nombre sont destinés à Windows. Ils sont dotés d'extensions .exe, .com ou .dll. Pour les lancer, vous double-cliquez sur leur icône ou sur leur nom dans l'Explorateur de Windows 32 bits.

Lorsque l'on télécharge un nouveau programme pour Mac ou pour PC, on court toujours le risque qu'il soit infecté par un virus informatique. Sur des systèmes UNIX ou Linux, ce risque est beaucoup moins grand. Les gestionnaires de sites FTP font de leur mieux pour éviter ce danger et certains sont particulièrement scrupuleux à cet égard. Si vous allez pêcher un programme sur un site peu connu, le risque augmente.

Emballage et déballage

Un logiciel d'application se compose presque toujours de plusieurs fichiers. Pour être sûr de n'en perdre aucun lors d'un transfert, on les regroupe généralement sous la forme d'une *archive*. Lorsqu'on a récupéré une telle archive, il faut la *désarchiver* pour récupérer ses composants.

Certains fichiers sont aussi *compressés*, ce qui signifie qu'ils sont codés d'une façon spéciale afin d'occuper moins de place. Ils ne peuvent être *décompressés* (ou *décompactés*) que par un programme spécifique, symétrique de celui qui a été utilisé pour la compression. La plupart des fichiers disponibles par FTP sont compactés de façon à occuper moins de place, donc demander moins de temps pour leur transfert. Dans le monde des PC, ils portent le plus souvent une extension .ZIP et peuvent être manipulés avec un programme appelé *WinZip*. Dans le monde des Macintosh, le programme de compression le plus populaire s'appelle *StuffIt*.

Zip

Sous Windows 32 bits, WinZip (mentionné au Chapitre 16) est très largement utilisé. Il peut effectuer la compression, la décompression et le test d'intégrité d'une archive. Les macmaniaques, quant à eux, utilisent un programme shareware appelé ZipIt.

Il existe des programmes du même genre sous UNIX/Linux. Ils s'appellent respectivement *zip* et *unzip* On peut trouver ces programmes, en particulier, sur le serveur `ftp.uu.net`.

De plus en plus d'applications sont dites *autoextractibles* (ou *autodécompactables*), ce qui signifie qu'elles ont une extension .exe et qu'en les exécutant elles se décompactent d'elles-mêmes sans que l'on ait besoin de recourir à un programme externe. WinZip est lui-même distribué de cette façon, sinon nous serions en face de l'angoissant problème de l'œuf et de la poule.

Et pour les Mac ?

L'utilitaire des macophiles est un programme shareware écrit par Raymond Lau et qui porte le nom de StuffIt. Il en existe diverses versions et même une version commerciale appelée StuffIt Deluxe. Les fichiers ainsi traités ont généralement une extension .sit.

Pour la décompression, on emploie UnStuffit ou Stuffit Expander, ou encore DropStuff avec Expander Enhancer. Vous n'aurez aucun mal à les trouver car ils traînent un peu partout.

Là où l'art est

L'Internet est progressivement envahi par une foultitude de fichiers d'images numérisées. Environ 99,44 % de ces fichiers sont des jeux, des images classées "X" ou pis encore. Mais nous sommes certains que vous appartenez au 0,56 % de gens sérieux qui ont besoin de ce type de fichiers dans leur travail quotidien. C'est pourquoi nous n'hésiterons pas à nous attarder sur ce sujet.

Les formats graphiques les plus utilisés sur le Net sont GIF, JPEG et PNG. Les fichiers GIF et JPEG ne seront presque jamais compressés, car il s'agit là de formats exploitant déjà un algorithme de compression.

Une paire de GIF

Le format sans doute le plus utilisé est le format GIF (*Graphics Interchange Format* : format d'échange de fichiers graphiques) créé par CompuServe. Il ne peut pas reproduire plus de 256 couleurs. Il en existe deux versions : *GIF87* et *GIF89*, entre lesquelles les différences sont minimes. Comme il s'agit d'un format tout à fait standard, vous n'aurez jamais de difficulté pour manipuler des fichiers GIF.

Il existe des douzaines de programmes commerciaux et shareware pour les Macintosh et les PC, capables de lire et d'écrire des images GIF. Netscape Navigator et Internet Explorer peuvent les afficher à l'aide de la commande Ouvrir du menu Fichier.

PNG

Les fichiers GIF utilisent un algorithme de compression breveté par UNISYS qui, depuis 1955 a commencé à réclamer des royalties à CompuServe et à tous ceux qui vendaient des logiciels exploitant ce format. En conséquence, un groupe d'utilisateurs d'images a proposé un format de remplacement libre de droits appelé PNG. On peut s'attendre à voir disparaître d'ici un an ou deux le format GIF au profit du format PNG[1]. Ce dernier peut traiter les mêmes images que le format GIF, et la plupart des programmes qui utilisaient le format GIF sont en cours de mise à jour pour accepter le format PNG.

Le JPEG

Il y a quelques années, un groupe d'experts en images numérisées se réunit et décida qu'il était temps de créer un format standard officiel pour les photos numérisées car aucun des formats existants ne les satisfaisait. Ils formèrent le *Joint Photographic Experts Group* (JPEG), et leurs travaux aboutirent à la création du format actuellement connu sous ce nom. C'est un format conçu spécialement pour les images photographiques et non pour des dessins ou des images créés par ordinateur. Il convient très bien pour les premières et se révèle moins bon pour le reste.

La taille d'un fichier JPEG contenant une photo numérisée est environ le quart de celle du fichier GIF contenant la même image, mais elle peut varier largement car elle dépend du compromis qui sera adopté

---

[1]. Ça fait bien deux ou trois ans qu'on peut lire ce genre de propos sous la plume de tel ou tel auteur. Peut-être bien que ça finira par être vrai... (N.d.T.)

entre l'encombrement du fichier et la qualité de l'image. Le principal inconvénient de ce format est qu'il est nettement plus long à décoder que les autres. Mais, étant donné la réduction de taille obtenue et la rapidité des ordinateurs actuels, le jeu en vaut la chandelle. Les fichiers JPEG ont le plus souvent une extension .jpeg ou .jpg.

On a dit que les images JPEG n'étaient pas aussi belles que les images GIF. Ce qui est vrai, c'est que si vous prenez une photo en couleurs véritables, que vous en faites une image GIF en 256 couleurs et que vous convertissez cette image en une image JPEG, le résultat ne sera pas très beau. Alors, ne le faites pas. Les meilleurs résultats sont obtenus en numérisant directement une photo au format JPEG.

Et les animations ?

La vitesse des réseaux et la taille des disques allant en augmentant, on songe maintenant à stocker des animations vidéo complètes et non plus des petites séquences abrégées. Le format standard utilisé pour cela est le MPEG *(Movies Photographic Experts Group)* créé par un groupe d'experts issus du comité JPEG et exploitant le résultat de leurs travaux.

Les logiciels de visualisation de fichiers MPEG voisinent généralement avec ceux qui traitent les fichiers JPEG. Il faut disposer d'une machine suffisamment rapide si on veut afficher une animation dans de bonnes conditions.

 Il existe d'autres formats pour les animations, en particulier Shockwave et QuickTime d'Apple, que l'on trouve souvent dans les pages Web. Il existe des plugins capables de restituer ces animations. Pour Netscape Navigator, voyez `home.netscape.com/plugins`. Pour Internet Explorer, voyez `www.microsoft.com/msdownload/ default.asp` et cliquez sur Internet Explorer sous Windows Update. Enfin, vous pouvez aussi visiter notre site `net.gurus.com/ software`.

D'autres formats, encore

Bien que les formats GIF et JPEG soient, de loin, les plus populaires sur le Net, il existe bien d'autres formats d'images, parmi lesquels on peut citer :

✔ **PCX.** Il est utilisé par de nombreux programmes de dessin et convient bien à des photos à faible résolution.

✔ **TIFF.** C'est un format très compliqué et dont il existe de très nombreuses variantes. Au point qu'une image créée par un programme ne sera pas forcément lue par un autre.

✔ **TARGA.** TGA, sur les PC. Dans les archives Internet, le format TARGA est maintenant à peu près complètement supplanté par le format JPEG, plus compact.

La brigade des mœurs vous parle

Sans doute vous demandez-vous où l'on peut trouver des archives publiques contenant des images... exotiques, mais vous n'osez pas poser la question. Eh bien, on va vous répondre : nulle part ou presque.

Pour deux raisons. La première est politique. Les entreprises et les universités qui financent les serveurs FTP ne veulent pas risquer d'être accusées de faire du trafic d'images pornos ou de saturer leurs disques avec des images n'ayant rien à voir avec leur raison d'être. Dans les fichiers d'archives d'une certaine université, les images extraites de *Playboy* ont été remplacées par une note disant que si vous pouvez justifier l'utilisation de ces images dans le cadre de votre recherche scientifique, vous pourrez y accéder.

L'autre raison est de nature pratique. De temps en temps, un généreux donateur télécharge sur un serveur FTP sa collection d'images classées X. Dans les minutes qui suivent, le serveur est littéralement assiégé par de très nombreux "a-mateurs". Pour lui redonner vie, il faut donc faire disparaître au plus vite ces images, ce qui se fait en moins de temps qu'il n'en faut pour le dire. Si vous ne nous croyez pas, lisez donc *Le Sexe pour les Nuls*, dans lequel le Docteur Ruth Westheimer affirme la même chose (même collection, même éditeur).

Reste pour les curieux, le recours aux news et plus particulièrement aux forums `alt.binaries.picture.erotica`... et autres `alt.sex`... Mais, là, ce sont généralement les fournisseurs d'accès qui, soucieux de votre santé morale, se posent en censeurs pour vous en priver. La dernière fois que nous y avons jeté un coup d'œil pour nos recherches sociologiques, il nous a semblé qu'il y avait bien moins d'images, mais que, en revanche, on trouvait de plus en plus d'annonces pour des sites Web à accès payant. Vous pouvez aussi consulter les sites Web `www.playboy.com` et `www.penthousemag.com` qui reproduisent les images les plus anodines publiées dans le numéro courant de leur revue.

Il existe une quantité de sites Web qui se feront un plaisir de vous présenter des images pornos pour peu que vous leur communiquiez le numéro de votre carte de crédit. Comme nous sommes d'un naturel plutôt radin, nous n'avons jamais voulu nous y risquer.

- **PICT.** Très répandu sur les Macintosh, qui le reconnaissent de façon native.

- **BMP.** C'est le format des images bitmap de Windows. Fort peu utilisé sur le Net en raison de la grande taille des images ainsi obtenues.

Prêtez l'oreille

Texte, programmes, images fixes ou animées, que reste-t-il d'autre ? Tout simplement le son. Les fichiers de sons (également appelés *fichiers audio*) ont le plus souvent des noms dont l'extension est .wav, .au, .mp3 ou .aif. Pour entendre de tels fichiers, consultez le site de NPR à l'URL www.npr.org. Des concerts sont souvent retransmis en direct sur www.audionet.com.

Il y a deux façons d'entendre des sons retransmis sur le Web :

- **Téléchargez un fichier audio et, ensuite, écoutez-le à loisir.** Cette méthode a l'avantage de vous permettre de le réécouter à loisir. N'oubliez pas que, en raison de la taille de ces fichiers, ce téléchargement peut demander beaucoup de temps.

- **Ecoutez le fichier audio** *au fur et à mesure qu'il se télécharge.* De cette façon, inutile d'attendre la fin de son téléchargement pour en profiter. On appelle cette méthode de traitement le *streaming*. Bien que la qualité ne soit pas fameuse, cela vaut la peine d'essayer.

Les fichiers audio du premier type portent généralement une extension .mp3 ou .mid ; plus rarement .wav, .au ou .aif. Les deux premiers sont d'un volume compatible avec l'Internet ; pas les trois autres.

Le plus répandu des systèmes de streaming est RealAudio. Les fichiers de ce format sont estampillés .ra ou .ram. Pour reproduire ces fichiers, vous devez avoir le plugin RealPlayer, que vous pouvez télécharger à l'URL www.real.com ou à partir de serveurs de fichiers comme TUCOWS (miroir français : tucows.chez.delsys.fr). Ce plugin permet aussi de reproduire des fichiers de type RealVideo dans lesquels de petites animations accompagnent le son.

En avant la musique !

L'une des activités les plus "in" de l'Internet est l'échange de fichiers musique entre amis au format MP3. MP3 est l'abréviation de MPEG niveau 3. C'est tout simplement le format de la bande son utilisée dans les films MPEG. Depuis que ce format fait partie du domaine public (le travail de compression des fichiers pour le téléchargement est, par ailleurs, remarquable), il a été adopté par tous les internautes appréciant la musique. De nombreux sites Web, tels que www.mp3.com, consacrés à ce type de format ont fait leur apparition. Ils proposent tous d'excellents logiciels capables de vous faire entendre des fichiers MP3 et même d'enregistrer votre propre musique.

Rien de tout ça

Certains fichiers ne correspondent à rien de ce que nous venons de voir. Ainsi, vous pouvez rencontrer des fichiers contenant du texte formaté par un traitement de texte, tel que WordPerfect (extension .wpd) ou Word (extension .doc), ainsi que le format de texte enrichi standard, Rich Text Format (extension .rtf). Si vous rencontrez l'un de ces fichiers et ne disposez pas du logiciel qui l'a créé, vous ne pourrez généralement pas le lire correctement. La plupart des traitements de texte actuels sont capables d'importer des fichiers d'un autre type que le leur et de les afficher, tant bien que mal. Aussi, essayez à tout hasard de les lire avec votre traitement de texte habituel.

Dans le cas particulier de Word pour Windows, Microsoft offre un programme permettant d'afficher et d'imprimer des documents formatés par son traitement de texte. Vous le trouverez à l'URL officeupdate.microsoft.com/. Descendez jusqu'à la section Word de la page et trouvez le logiciel de visualisation convenant à votre version de Windows.

Le format PDF d'Adobe, dont les fichiers portent l'extension .pdf, constitue un autre moyen d'envoyer des documents formatés sur le Net. Malheureusement, PDF est un format propriétaire, ce qui signifie que vous devez faire l'acquisition d'un programme Adobe si vous voulez *créer* des fichiers PDF. En revanche, le programme permettant d'afficher et d'imprimer des fichiers PDF est gratuit. Il s'appelle Acrobat Reader. (Pour vous procurer sa dernière version, visitez le site www.adobe.com/products/acrobat.)

Rien de tout ça...

Chapitre 19

Dix moyens de trouver une adresse e-mail

. . . .

Dans ce chapitre :

▶ Comment trouver une adresse e-mail.

▶ Annuaires en ligne.

▶ Quelques systèmes de messagerie différents.

. . . .

C omme vous avez déjà dû vous en rendre compte, il y a un tout petit détail qui vous empêche d'envoyer du courrier électronique à tous vos amis : vous ne connaissez pas toujours leur adresse électronique. Dans ce chapitre, nous allons essayer de vous montrer combien il est facile de la découvrir. Mais, dans notre incommensurable bonté d'âme, nous allons immédiatement vous donner un conseil qui vous évitera de lire le reste de ce chapitre et qui est la façon la plus sûre d'apporter une réponse exacte et précise à cette angoissante question :

> **Demandez-la-leur par téléphone.**

Oui, je sais, ce n'est pas très *high-tech*. Curieusement, ça semble être la dernière idée qui vient à l'esprit des gens se posant cette question. Essayez d'abord ce truc. Si vous connaissez le numéro de téléphone de vos futurs correspondants, c'est le plus facile des moyens à employer.

Comment, vous ne connaissez pas votre adresse ?

Il n'est pas toujours possible de connaître son adresse électronique. Tout au moins pour ceux qui travaillent au sein d'une entreprise et utilisent ses services pour leur usage personnel. (Pour un particulier, abonné à un fournisseur d'accès, c'est totalement faux.) La plupart du temps, cela vient du fait que vous avez recours à un système de courrier privé qui communique avec l'Internet par une passerelle, laquelle se charge de traduire les adresses électroniques.

La solution est généralement simple : envoyez un message à celui qui vous demande votre adresse électronique. Tous les messages ont une adresse de retour dans leur en-tête, et toutes les passerelles y placent une adresse de retour utilisable. Ne soyez pas surpris si cette adresse comporte bon nombre de caractères de ponctuation étranges et déroutants.

Vous pouvez découvrir votre propre adresse en envoyant un message à notre toujours dévoué robot électronique `internet7@gurus.com` qui se fera une joie de vous renvoyer une note vous indiquant quelle est votre adresse.

Trouver des personnes sur le Web

Le monde change. Peut-être votre ami(e) a-t-il(elle) une page personnelle sur le Web ? Servez-vous de votre moteur de recherche habituel pour y rechercher son nom en l'indiquant comme mot-clé après l'avoir placé entre guillemets. Il y a de grandes chances qu'il(elle) ait placé son adresse *e-mail* quelque part sur sa page.

Rechercher des personnes dans les forums

Si vos amis participent aux forums de Usenet, utilisez AltaVista pour faire une recherche ou pointez votre navigateur sur `www.deja.com`. Mais souvenez-vous que votre ami utilise peut-être un pseudonyme au lieu de son véritable nom (celui de l'état civil). De toute façon, ça ne coûte rien d'essayer.

Hep, monsieur le postmaster !

Parfois, vous avez une idée de la machine utilisée par quelqu'un mais vous ne connaissez pas son nom. Dans ce cas, essayez d'envoyer un message à son vaguemestre, le *postmaster*. Chaque *domaine* (ce qui se trouve à droite du caractère @ dans l'adresse e-mail) susceptible de recevoir du courrier électronique possède une adresse e-mail valide appelée postmaster qui est celle de la personne responsable de cette machine. Si vous êtes à peu près certain que votre ami se trouve dans une organisation dont le nom de domaine est my.bluesuede.org, essayez de demander (bien poliment, toujours) son adresse à postmaster@my.bluesuede.org. N'en attendez pas des miracles car, souvent, ce responsable hésitera à communiquer à quelqu'un qu'il ne connaît pas l'adresse e-mail d'un de ses collègues.

Le postmaster est la personne à qui vous devez envoyer un message lorsque quelque chose ne va pas dans le courrier électronique. Si le courrier électronique que vous envoyez à quelqu'un de l'organisation vous revient accompagné d'incompréhensibles messages d'erreur ou si vous recevez des tonnes de messages générés automatiquement par un robot de courrier devenu subitement fou (voir le Chapitre 12), le postmaster est votre interlocuteur privilégié.

Annuaires en ligne

N'existe-t-il pas une sorte de Minitel de l'Internet ? Non, car c'est irréalisable. D'abord parce qu'on ne sait généralement pas à quel nom véritable correspond une adresse *e-mail*. Ensuite, parce que tout le monde ne souhaite pas que son adresse électronique soit connue de tous. Ce qui n'empêche pas qu'il existe quelques annuaires officiels (certains ont été présentés au Chapitre 8), tous plus incomplets les uns que les autres. Cela nous renforce dans notre idée que le meilleur moyen de connaître l'adresse électronique de quelqu'un, c'est encore de la lui demander. A tout hasard, voici quelques pistes à suivre.

Yahoo!

Le Chapitre 8 vous explique comment trouver des personnes à l'aide de Yahoo People Search, autrefois appelé Four11. Allez à www.yahoo.com/search/people et essayez son outil de recherche

Dix bonnes raisons de ne pas téléphoner à quelqu'un pour lui demander son adresse électronique

- ✔ Vous voulez lui faire une surprise.

- ✔ Vous voulez causer une agréable surprise à quelqu'un de vos ex-amis qui vous doit de l'argent et qui pense vous l'avoir rendu.

- ✔ Vous et votre ami ne parlez pas la même langue.

- ✔ Vous ou votre ami êtes muets. Ce n'est pas un cas d'école, car l'Internet est un des moyens les plus efficaces de sortir une personne handicapée de son isolement. D'où la blague bien connue : "Sur le Net, personne ne sait que je suis un chien !"

- ✔ Compte tenu du décalage horaire, vous ne voulez pas risquer de réveiller votre ami à 3 heures du matin.

- ✔ Vous ne connaissez pas son numéro de téléphone et il est sur la liste rouge.

- ✔ Vous n'avez pas de carte de téléphone sur vous et vous êtes dans la rue.

- ✔ Là où vous travaillez, on vient d'installer un nouveau réseau Interne de téléphone et personne ne sait encore comment s'en servir.

- ✔ Vous venez de renverser votre bouteille de Machin-Cola sur le téléphone et les touches sont toutes collées.

- ✔ Vous l'avez appelé hier ; il vous a donné son adresse électronique et vous avez perdu le papier sur lequel vous l'aviez notée.

d'adresses électroniques. Si vous voulez que d'autres personnes vous trouvent, pensez à y déposer vos propres coordonnées. Essayez également l'URL fr.people.yahoo.com.

WhoWhere ?

Allez à l'URL www.whowhere.lycos.com, tapez le nom de la personne cherchée et cliquez sur le bouton WhoWhere Find.

Bigfoot

Allez à l'URL www.bigfoot.com si vous recherchez une adresse e-mail ou un numéro de téléphone. Ils ont aussi les Yellow Pages. Attention, contrairement à la plupart des autres annuaires, Bigfoot refuse de supprimer des adresses de ses listes. Aussi, réfléchissez-y à deux fois avant de vous y inscrire.

InterNic

Allez à l'URL www.internic.net/wp/whois.html, tapez le nom cherché dans la boîte de saisie et cliquez sur le bouton Search. Si la personne que vous recherchez est responsable d'un ordinateur, domaine ou réseau, vous la trouverez sûrement ; dans le cas contraire, inutile de perdre votre temps.

Annuaires en ligne

AOL, Wanadoo et CompuServe ont un annuaire en ligne de leurs abonnés. Si vous n'êtes pas abonné à l'un de ces fournisseurs d'accès mais qu'un de vos amis l'est, demandez-lui de faire la recherche pour vous. Avec Wanadoo, on ne vous donnera pas l'adresse e-mail mais on vous permettra d'envoyer un message à cette adresse.

Les systèmes de courrier électronique sont-ils tous compatibles ?

L'Internet est constitué d'une foule de réseaux différents imbriqués. La plupart des systèmes ont, d'une façon ou d'une autre, assimilé les adresses standard de l'Internet, et on peut leur envoyer du courrier électronique de la même façon qu'à n'importe quelle boîte aux lettres électronique réellement présente sur le Net.

Mais, bon nombre de réseaux continuent à faire bande à part sans que cela les empêche d'être raccordés à l'Internet. Il faut cependant triturer quelque peu leur adresse pour échanger du courrier avec eux. Dans cette section, nous allons voir comment faire pour quelques-uns des plus courants.

Cette section présente une courte liste des principaux systèmes en ligne de messagerie connectés à l'Internet, accompagnée de quelques instructions permettant d'envoyer du courrier aux utilisateurs de ces systèmes.

AT&T Mail

Les abonnés à ce système ont des noms d'utilisateurs arbitraires. Pour envoyer du courrier à quelqu'un dont le nom d'utilisateur est `blivet`, tapez : `blivet@attmail.com`.

Note : AT&T Mail possède des passerelles vers d'autres systèmes de courrier internes. Dans ce cas, une adresse pourra ressembler à quelque chose comme `blop!couic!plouf!@machin.attmail.com`.

Delphi

Delphi est un réseau qui appartient au même propriétaire que Bix, bien que leurs services soient complètement séparés. Les noms d'utilisateurs de Delphi sont des chaînes de caractères arbitraires, le plus souvent l'initiale du prénom suivie du nom. Pour envoyer du courrier à Jules Dupont, adressez-le à `jdupont@delphi.com`.

FIDONET

FIDONET est un système fédératif de BBS à l'échelle mondiale. Sur FIDONET, les gens sont identifiés par leur nom et chaque BBS individuel (appelé *node*) a un numéro à 3 ou 4 chiffres de la forme `1:2/3` ou `1:2/3:4`. Pour envoyer un message à Théo Lechat sur le node `1:2/3.4`, adressez-le à `theo.lechat@p4.f3.n2.z1.fidonet.org`.

Note : Beaucoup de systèmes FIDO n'acceptent plus les messages en provenance de l'Internet à cause des récents afflux de spams (courrier poubelle). Dommage.

Fournisseurs d'accès "ordinaires" (FAI)

Comme chaque fournisseur d'accès a son nom de domaine particulier et que chaque utilisateur est souvent autorisé à choisir son propre nom (sous réserve d'homonymie), il faut que votre correspondant vous ait donné son adresse e-mail complète. Une adresse e-mail d'une personne abonnée à un fournisseur d'accès Internet est constituée du nom d'utilisateur, suivi du signe @ et du nom de domaine de ce FAI.

Par exemple : `jdupont@wanadoo.fr` ou `pierre.kiroule@club-internet.fr` ou encore `geo.trouvetout@aol.fr`.

Microsoft Network

Microsoft Network (MSN) est le service en ligne commercial géré par le géant du logiciel : Microsoft. Si le nom sous lequel vous êtes enregistré est `Bill Gates`, votre adresse e-mail est `BillGates@msn.com`.

UUCP

C'est un ancien système de courrier qui continue d'être utilisé par beaucoup de sites UNIX, tout simplement parce qu'il est gratuit. Les adresses UUCP consistent en un nom de site et un nom d'utilisateur formant tous deux une chaîne de caractères arbitraire et courte. Il existe des adresses à multiples rebonds comme : `world!iecc!internet7`. Une telle adresse indique que le message doit d'abord être transmis au site `world` qui l'enverra à `iecc`, lequel le passera à `internet7`. Le plus souvent, les adresses UUCP sont écrites par rapport à l'hôte Internet capable de "parler" UUCP.

UUCP Communications est une grosse organisation à but non lucratif qui, parmi d'autres tâches, apporte le courrier aux masses unixiennes parlant l'UUCP. La plupart des clients UUCP ont aussi des adresses Internet ordinaires qu'ils transforment, en interne, en d'abominables adresses UUCP. Lorsque, pour un même individu, les deux systèmes d'adresses coexistent, utilisez de préférence l'adresse Internet.

X.400 : aussi convivial que son nom l'indique

Certaines organisations internationales se servent d'un système assez déplaisant d'adresses électroniques élaboré par les bureaucrates internationaux du téléphone à l'ITU-T, en Suisse. Une adresse X.400 est formée d'un nom, d'un domaine et de pas mal d'attributs. Les spécifications officielles couvrent des douzaines, sinon des centaines de pages.

Prenons un exemple concret. Supposons que votre ami Samuel Tilden utilise le service Sprintmail de Sprint, lequel a une connexion de type X.400 avec l'Internet. Votre ami réside aux Etats-Unis et travaille chez Tammany Hall. Ses attributs seraient les suivants :

✔ **G** : Samuel

✔ **S** : Tilden

✔ **O** : TammanyHall

✔ **C** : US

Comme le domaine Internet pour la passerelle est `sprint.com`, l'adresse complète est :

```
/G=Samuel/S=Tilden/O=TammanyHall/C=US/ADMD=TELEMAIL/@sprint.com
```

Dans la plupart des cas, la façon la plus simple de découvrir l'adresse X.400 de quelqu'un est de demander à votre correspondant de vous envoyer un message et de noter très soigneusement ce qui suit la rubrique `From:`.

X.500 : Encore plus convivial !

Ceux-là mêmes qui nous avaient concocté X.400 ont récidivé avec X.500. Les informations y sont classées à la façon d'une étagère d'annuaires téléphoniques (ou, dans les grands systèmes X.500, comme une bibliothèque composée d'étagères organisées par pays). Pour quelqu'un en particulier, vous devez indiquer à X.500 dans quel annuaire (ou quels annuaires) il doit regarder.

Si vous vous trouvez dans un pays A, et que vous voulez le numéro de téléphone de quelqu'un qui réside dans un pays B, la procédure officielle de l'ITU-T pour vous fournir son numéro consiste à vous relier à quelqu'un du pays A qui se trouve dans une pièce remplie de vieux annuaires de tous les pays du monde et qui va tenter de trouver l'annuaire du pays B pour y découvrir l'adresse que vous recherchez. S'il ne parvient pas à trouver ce numéro – ce qui est fréquent, car les annuaires datent d'il y a quinze ans et votre ami a peut-être seulement emménagé depuis douze ans –, c'est cuit. Le processus couramment employé aux Etats-Unis consistant à vous relier à quelqu'un du pays B qui possède des annuaires à jour de son pays est en complète violation des standards X.500. Respectons une minute de silence en témoignage de notre admiration devant des cerveaux ayant pu engendrer une telle merveille !

Vous pouvez consulter une grande diversité d'annuaires X.500 sur le Web en pointant votre navigateur sur l'URL `nic.nasa.gov:8888`.

Chapitre 20

Dix façons d'éviter de passer pour un éléphant dans un magasin de porcelaine

Dans ce chapitre :

▶ Comment parvenir à une utilisation tranquille quoique sophistiquée du Net.

▶ Quelques bêtises à éviter.

Nous allons voir maintenant les quelques occasions où vous risqueriez de perdre votre maîtrise ou de passer pour un imbécile ! Vous apprendrez ainsi comment devenir le parfait utilisateur du Net que vous rêvez d'être.

Lisez avant d'écrire

Dès que vous connaîtrez votre adresse électronique, vous allez être pris d'une véritable frénésie d'envoyer tout de suite des messages à tout va. *Ré-sis-tez !!!*

Lisez les listes de diffusion, les pages Web, et parcourez toutes les ressources que l'Internet met à votre disposition. Faites tout ça pendant quelque temps. Autrement dit, commencez par ouvrir les yeux sur ce nouveau monde qui s'offre à vous. Durant cette période, restez bouche cousue ; n'envoyez aucun message. Lorsque vous commencerez à être pénétré de cette nouvelle forme de "culture", vous comprendrez de vous-même à quel endroit et à qui envoyer vos messages, quels seront les gens susceptibles de s'intéresser à vos propos et quels seraient ceux que ça ennuierait prodigieusement. Si vous voyez une FAQ, regardez si elle ne contient pas déjà la réponse à la question que vous voulez poser.

Observez la netiquette

Netiquette : mot créé par la contraction de "net" (réseau) et "etiquette". Sur le Net, on vous juge d'après ce que vous tapez sur votre clavier. Les messages que vous envoyez sont le seul moyen de vous connaître pour 99 % des gens que vous allez y rencontrer.

Hors taux gras feu

Trop d'utilisateurs s'imaginent que, parce que les messages qu'ils envoient sont brefs et informels, leur orthographe et leur syntaxe n'ont aucune importance. Certains font même exprès d'adopter une orthographe de fantaisie. *Nœud soie yé pa deux se kiss smoke du candy raton.* C'est un peu comme si vous alliez à une réception avec une tache de graisse sur votre cravate. Vos amis vous pardonneront peut-être, mais ceux qui ne vous connaissent pas n'auront sans doute aucune envie de prolonger la conversation. Pensez plutôt que faire montre d'élégance verbale et de maîtrise de la langue est un signe de culture et aussi de politesse envers ceux qui vont vous lire.

Certains logiciels de courrier comportent un correcteur d'orthographe. Pourquoi ne pas l'utiliser ?

N'ENVOYEZ PAS DE MESSAGES ENTIEREMENT ECRITS EN MAJUSCULES. C'est exactement comme si vous vous mettiez à crier. Vous risqueriez de vous attirer quelques commentaires peu amènes, mettant en cause votre connaissance de l'emploi de la touche de verrouillage des majuscules de votre clavier. Les claviers d'ordinateur permettent d'écrire en bas de casse (minuscules) depuis les années 70.

Si vous n'avez rien d'intéressant à dire, taisez-vous !

Evitez de vouloir paraître brillant, de faire le malin. La plupart du temps, vous allez produire l'effet inverse. Evitez d'envoyer à une liste de diffusion ce genre de message : "Désolé, Jules, je ne peux rien pour vous !" Si seulement ceux qui n'ont rien à dire pouvaient fermer leur... bouche ! Tout message que vous postez sur une liste sera lu par toute la liste. Alors, est-ce que les informations utiles qu'on peut y trouver l'emportent sur le bruit de fond et les âneries qui s'y propagent ? Plus celles-ci prolifèrent et plus on est tenté de s'en désabonner. Par effet cumulatif, ces listes se vident et finissent par disparaître. Tous les utilisateurs de l'Internet sont ici concernés. Si vous voulez faire partie du Net, apportez votre pierre à l'édifice, mais que cette pierre soit solide.

Occupez-vous de vos propres affaires

Une autre stupidité dont nous avons été témoin est celle de quelqu'un abonnant son pire ennemi à une liste contre son gré. Arrêtez, les gamins ! nous ne sommes pas ici au jardin d'enfants ! Si vous commencez à parasiter les listes de diffusions publiques, elles vont devenir privées et celles qui sont libres deviendront modérées ou même "sur invitation".

Où souscrire un abonnement ? Comment l'arrêter ?

S'abonner à une liste de diffusion est quelque chose de très simple et nous vous avons expliqué comment procéder au Chapitre 13. Au risque de nous répéter, rappelons que le meilleur moyen de passer pour un abruti, c'est d'envoyer sa demande d'abonnement à la liste elle-même au lieu de l'envoyer sous la forme convenue à l'automate de gestion ou au responsable (ce n'est pas la même adresse que celle de la liste).

Apprenez les règles

Lorsque vous vous abonnez à une liste de diffusion, vous recevez généralement un long message sur les modalités d'utilisation de cette liste particulière et la façon de vous en désabonner lorsque vous le voudrez. Lisez ce message. Sauvegardez-le. Imprimez-le. Enfin, faites le nécessaire pour le conserver. Avant de dire aux autres participants à la liste comment ils doivent se comporter, relisez vous-même les règles.

Relisez-vous

Lorsque vous envoyez un message à une liste de diffusion, souvenez-vous que vous avez le monde entier pour auditoire. Le monde, ça veut dire tous les peuples, ethnies, langages, confessions et cultures. Efforcez-vous donc de représenter au mieux votre pays et votre culture. Evitez les commentaires désobligeants sur d'autres personnes et d'autres lieux qui risqueraient d'être compris de travers. Corrigez vos fautes d'orthographe et de syntaxe, car certaines peuvent conférer à vos propos un tour différent de celui que vous pensiez leur donner.

Soyez discret

Quelqu'un a fait une erreur classique : envoyer un message disant "subscribe" à une liste de diffusion au lieu de l'envoyer à son responsable, ou poster un message clamant "Je n'ai pas la solution" en réponse à une question correctement posée. Cela arrive à tout le monde. Alors, n'en rajoutez pas. Avertissez gentiment l'auteur de sa gaffe par *e-mail* et non par un post ou un message à la liste. Ne vous posez pas en redresseur de torts, ne jouez pas au "p'tit chef", ça ne profiterait à personne et surtout ça ne contribuerait pas à améliorer votre image de marque.

Adoptez une signature claire et concise

Tous les logiciels de courrier vous proposent de signer vos messages par un texte tout préparé, une *signature* (il s'agit du même nom en anglais). Cette signature est supposée vous identifier. Là encore, n'en rajoutez pas. Ne profitez pas de l'occasion pour afficher un petit dessin à base de / ()* et autres #_. Ce genre d'ostentation vous désigne comme un personnage à l'ego exacerbé, vaniteux, voire infantile, donc peu fréquentable. En outre, vous encombrez inutilement le Net. Alors, soyez bref (pas plus de trois lignes), soyez informatif (il faut que cela apporte quelque chose à ceux qui la liront) et restez poli.

Ne joignez pas n'importe quelle pièce

Les logiciels de courrier vous permettent de joindre diverses "pièces" (images, fichiers audio, animations, programmes...) à vos messages. Il faut, bien entendu, que le destinataire sache en tirer parti, c'est-à-dire qu'il sache les récupérer donc qu'il ait un logiciel permettant de les interpréter. Si, par exemple, vous envoyez un texte mis en forme par WordPerfect à quelqu'un qui ne jure que par Word pour Windows, que voulez-vous qu'il en fasse ?

Il en va de même pour la mise en forme des messages électroniques eux-mêmes. Les logiciels actuels vous permettent d'utiliser diverses mises en forme, telles que les caractères gras ou italiques, mais ces formatages seront lettre morte pour beaucoup de mailers. Sur les programmes plus anciens, les messages formatés impliquent tellement de caractères de formatage que le texte en devient illisible. Surtout, n'envoyez pas de messages mis en forme sur les listes de diffusion.

Surtout, pas de flame !

Pour une raison ou une autre, un de ces jours, vous allez tomber sur quelque chose QUI VA VOUS METTRE HORS DE VOUS ET VOUS DONNER ENVIE DE PULVERISER SON AUTEUR. Ça nous est déjà arrivé et ça vous arrivera aussi. Evitez de répondre (publiquement ou par *e-mail*) sous le coup de la colère. Laissez décanter. D'ici une heure, vous aurez compris que ça ne vaut pas la peine de "flamer" le maladroit. Sinon, que va-t-il se passer ? Votre interlocuteur va, à son tour, monter sur ses grands chevaux et vous répondre sur un ton encore moins aimable. Qu'y aurez-vous gagné tous les deux ? Si vous connaissez un peu l'auteur et que vous le savez perméable à l'humour, répondez par un trait d'esprit (cela risque de vous demander un effort qui vous permettra d'oublier votre colère). Si vous avez vraiment envie de vous défouler, il y a un moyen bien simple. Préparez votre réponse *offline* (en étant déconnecté). Et ensuite, au lieu de cliquer sur Envoyer, cliquez sur Supprimer.

Spam, chaînes et autres courriers asociaux

Nous en avons déjà parlé aux Chapitres 11 et 12, aussi ne ferons-nous ici qu'un rappel. Il est très (trop) facile d'arroser la communauté de votre prose : il suffit de cliquer sur Transférer (ou autres commandes similaires) après avoir tapé quelques noms. Jamais, au grand jamais, nous n'avons vu de lettre chaînée (en boule de neige) qui vaille la peine d'être propagée. Ne donnez pas dans l'hystérie collective.

L'abominable spam

Une des plus déplaisantes innovations qui soient apparues sur le Net ces dernières années a été le *spam*, cette avalanche de messages publicitaires vantant des produits douteux, semblables à ces prospectus qui polluent constamment vos boîtes aux lettres postales. C'est là une pratique condamnable et qui engage la responsabilité du *spammer* dans la mesure où le responsable du serveur ainsi pollué doit effectuer un long travail de nettoyage.

N'accaparez pas trop de ressources

Mégaoctet après mégaoctet, au début, vous allez vous goinfrer sans vergogne, tel un apprenti pâtissier. Essayez quand même de discipliner votre fringale et de ne pas télécharger à tort et à travers, au cas où...

Commencez par raccrocher

Avec certaines méthodes de connexion comme l'ADSL, vous pouvez rester éternellement connecté (enfin, presque...). Mais ça ne sert à rien de laisser votre ordinateur connecté lorsque vous ne l'utilisez pas. Beaucoup de logiciels de connexion ont une temporisation qui vous déconnecte après un certain temps d'inactivité ; 15 minutes nous semble un bon choix. Vous éviterez ainsi que trop d'utilisateurs cherchant à se connecter tombe sur la tonalité d'occupation.

Les excès des sons et images

Les fichiers audio et les fichiers image sont très gros, ce qui implique de longs temps de connexion. Mais il y a pire. Il existe maintenant des connexions audio en temps réel (RealAudio, par exemple) ou des téléconférences (CU-SeeMe), très exigeantes en matière de quantité d'information et de débit. Pis encore : Internet Phone qui vous permet de téléphoner (en mode vocal) sur le Net.

Pour l'instant, ces moyens de communication, plus particulièrement la téléphonie sur Internet, ne sont pas encore très utilisés. Mais, pour peu que leur popularité s'accroisse, on risque d'aboutir à une situation où les FAI devront fournir deux types d'abonnement *avec* ou *sans* *téléphonie*, le premier coûtant plus cher que le dernier.

La netiquette des cybercafés

Les cybercafés représentent quelque chose de nouveau. Voici quelques conseils pour bien les utiliser.

Ne lisez pas leur écran par-dessus l'épaule de ceux qui sont connectés

Si vous voulez savoir comment ça marche, payez pour voir. Au besoin, faites-vous assister pour le premier contact. Lire un écran par-dessus l'épaule de quelqu'un qui est connecté, c'est comme lire le journal du voisin dans le métro. Cela ne se fait pas !

Laissez cet endroit aussi propre...

Avant de libérer la place, faites un peu d'ordre autour de vous. Non seulement sur la table où est installé l'ordinateur, mais aussi à l'intérieur de la machine. On a l'impression qu'un grand nombre de gens ne se rendent pas compte que la machine conserve une copie de leur courrier électronique. Si vous ne voulez pas que quelqu'un d'autre prenne connaissance des messages que vous venez d'envoyer, effacez-les. Pour cela, commencez par les placer dans la poubelle et ensuite videz celle-ci.

N'achetez pas en ligne depuis un site public

Nous pensons qu'il n'y a pas de réel danger à faire des achats en ligne payés par carte de crédit. N'oubliez pas, toutefois, que certains sites conservent des informations sur vous (adresse postale et numéro de carte de crédit, entre autres) sur votre disque dur. Aucun problème si vous passez commande depuis votre propre ordinateur, car, de cette façon, vous n'aurez plus à redonner ces informations à votre prochaine visite. Mais si vous n'êtes pas chez vous et que vous passez commande depuis une machine d'un cybercafé, ces informations risquent de pouvoir être réutilisées par n'importe qui. Ce n'est sans doute pas ce que vous cherchiez !

Quelques perles de sagesse sur le Web

Presque tous les fournisseurs d'accès vous offrent d'héberger votre propre page Web (voir le Chapitre 10 pour quelques infos à ce sujet). N'oubliez pas que tout ce que vous allez y mettre sera vu de tous, et que vos visiteurs se feront une opinion sur vous d'après ce qu'ils y trouveront. Alors, voici quelques conseils.

Tout ce qui est petit est gentil

Tout le monde n'a pas un accès direct à l'Internet à haut débit. Ceux qui viennent y surfer par le RTC sont beaucoup plus limités. Alors, évitez les images pleine page qui demandent plus d'un quart d'heure pour se charger. On voit beaucoup trop de pages Web cherchant à vous en mettre plein la vue avec des graphismes époustouflants et des couleurs clinquantes. Préférez des petites images, des vignettes, sur lesquelles votre visiteur pourra cliquer s'il désire les voir grandeur nature.

Un autre problème est celui de la taille des pages. Il vaut mieux avoir une présentation qui tient en une ou deux pages qu'un long défilé de pages. Si vous avez besoin d'une douzaine d'écrans pour présenter votre sujet, organisez-les en plusieurs pages plus petites appelées par des liens placés dans votre page d'accueil. Une suite de pages de dimensions raisonnables se chargera plus vite et sera plus agréable à consulter.

Du bon usage des citations et des pointeurs

Pensez à exclure de vos "liens favoris" ceux que tout le monde connaît et prenez soin de n'y placer que des liens pointant vers des sites originaux que vos visiteurs pourront avoir plaisir à découvrir.

Réfléchissez !

Ne mettez pas sur votre page Web quelque chose que vous ne souhaitez pas faire connaître à tout le monde. Votre adresse personnelle et votre numéro de téléphone, par exemple. Pour quelle raison un internaute aurait-il besoin de ce type d'information ? Si l'un d'eux veut entrer en contact avec vous, votre adresse *e-mail* doit lui suffire.

Glossaire

accueil (page d') Premier écran affiché par un serveur Web lorsque l'on se connecte dessus. En anglais : *home page*.

ActiveX Standard établi par Microsoft pour réaliser des briques de base de programmes connus sous le nom d'*objets*.

adresse électronique Code au moyen duquel l'Internet vous identifie et vous permet de recevoir du courrier électronique. Elle se présente généralement sous la forme `utilisateur@site.pays` où `utilisateur` représente votre nom d'utilisateur, `site` le nom de la machine sur laquelle est ouvert votre compte utilisateur, et `pays` un code représentant le pays ou le type d'organisation auquel se rattache votre site (`site` peut lui-même être composé de plusieurs noms séparés par des points).

ADSL (Asymmetric Digital Subscriber Line) Technologie permettant des débits très élevés sur ligne téléphonique. Pas encore très répandue, plutôt chère et pas vraiment au point. D'ici peu, ça devrait être le paradis.

AltaVista Moteur de recherche très utilisé sur le Web. Son URL est `www.altavista.com`.

America Online (AOL) Fournisseur de contenu (on dit aussi *service en ligne*) bien implanté en France. Revendique le plus grand nombre d'abonnés dans le monde (une vingtaine de millions). `www.aol.com` pour en savoir plus.

anonymous (FTP) Méthode d'utilisation du programme FTP lorsque l'on n'a pas de compte ouvert sur un site particulier. On se connecte alors sous le nom d'utilisateur `anonymous` et on donne comme mot de passe son adresse électronique.

archive Fichier contenant un groupe de fichiers généralement compressés pour occuper moins de place et être transmis en moins de temps. Afin de restituer ces fichiers dans leur état d'origine, on doit recourir au programme de décompression approprié. Sur les PC, on emploie couramment le format ZIP ; sur les Macintosh, StuffIt.

ASCII (American Standard Code for Information Interchange) Code à 7 bits très utilisé, en particulier sur le Net, ce qui explique pourquoi les caractères accentués ne sont pas toujours transmis correctement.

baud Terme technique caractérisant la vitesse de modulation d'un signal sur une voie de transmission. A ne pas confondre avec bps (voir ce sigle) qui caractérise le débit efficace de la voie.

BCC (Blind Carbon Copy) Adresse à laquelle est envoyée une copie d'un *e-mail* sans que le destinataire principal le sache (voir également **CC**).

binaire (fichier) Fichier contenant des informations qui ne sont pas du texte pur (images, sons, programmes...).

Bin-Hex Système de codage de fichiers binaires très utilisé sur les Macintosh.

bit (binary digit) C'est la plus petite quantité d'information représentable dans un ordinateur. Ce "chiffre binaire" peut prendre la valeur 1 ou 0. On utilise plus couramment des "paquets" de bits comme les octets (8 bits).

bitmap Type de fichier d'image dans lequel l'image est décomposée en points individuels.

bookmark Voir **signet**.

bps *(bits par seconde)*. Unité de mesure du débit d'une voie de transmission et caractérisant ce qu'on appelle improprement la "vitesse" d'un modem. Ne pas confondre avec **baud** (voir ce mot).

browser *Brouteur, navigateur, explorateur, fureteur, butineur...* Programme d'exploration du Web. Ce mot est généralement traduit en français par *navigateur*.

byte Voir **octet**.

CC (Carbon Copy) Adresse à laquelle est envoyée la copie d'un *e-mail*. Le destinataire principal est informé de l'existence et de la destination de cette copie.

channel *Canal*. Terme utilisé sur le réseau IRC. Il s'agit d'un groupe de personnes bavardant ensemble par écran/clavier.

chanop L'opérateur du *channel* : celui qui est responsable de la bonne organisation (et de la bonne tenue) d'un *channel*.

chat (to) *Bavarder, "tchatcher"*. Mode d'utilisation *live* de l'Internet pratiqué à l'aide d'un programme appelé **IRC** (voir ce mot).

client Ordinateur ou programme connecté à un correspondant baptisé **serveur** (voir ce mot).

client/serveur (modèle) Type d'architecture dans lequel le travail est divisé en deux groupes : celui qui fournit et celui qui reçoit des informations.

com Suffixe qu'on trouve fréquemment à la fin d'une adresse électronique américaine. Signale en général une entreprise commerciale. Exemple : www.microsoft.com.

compression Opération visant à réduire la taille d'un fichier ou d'un groupe de fichiers (une archive). S'effectue au moyen de logiciels particuliers tels que WINZIP, dans le monde PC, StuffIt, chez les adeptes du Macintosh.

CompuServe Fournisseur de contenu (on dit aussi *service en ligne*) important aux Etats-Unis et également implanté en France. Appartient désormais à AOL.

cookie En américain courant : petit gâteau sec. Sur le Web : petit bloc d'informations stocké sur votre disque dur par un site que vous visitez et qui lui sert à mémoriser certaines de vos caractéristiques personnelles qu'il retrouvera lors de sa prochaine visite.

décompression Opération inverse de la compression, grâce à laquelle on restitue leur forme originale aux fichiers compressés d'une archive. Dans le monde PC, le programme le plus utilisé pour cela s'appelle WINZIP. Pour les Macintosh, c'est StuffIt.

dial-up Mode de raccordement à un fournisseur d'accès. Il s'agit d'une connexion intermittente établie à l'aide du réseau public (RTC) et qui suppose un appel préalable par numérotation.

DNS (Domain Name Server) Ordinateur situé sur le Net et qui a la charge de traduire les noms de domaines (`microsoft.com`, `inria.fr`...) en adresses numériques de la forme `140.186.81.2` aussi appelées *adresses IP*.

domaine Nom officiel d'un ordinateur relié directement à l'Internet. C'est ce qui est écrit immédiatement à droite du caractère @. Dans `gerard@monserveur.fr`, le nom du domaine est `monserveur.fr`.

downloading Mot n'ayant pas de strict équivalent en français et qui signifie "téléchargement *à partir* d'un serveur".

e-mail Courrier électronique. Système d'acheminement de messages par l'Internet.

edu Suffixe d'une adresse électronique propre aux Etats-Unis qui est réservée aux établissements d'enseignement et aux universités. Exemple : `www.middle-bury.edu`.

emoticon Voir **smiley**.

extranet Réseau externe privé mettant en œuvre les techniques de l'Internet pour interconnecter les différents sites physiques d'une entreprise.

FAQ (frequently asked questions) *Foire aux questions*. Ensemble des questions les plus fréquemment posées. Ces questions sont regroupées avec leurs réponses, postées et mises à jour dans la plupart des listes de diffusion et groupes de news de Usenet. Avant de poser une question à la cantonade, il faut toujours regarder si la réponse ne se trouve pas déjà dans le forum FAQ. Faute de quoi, on court un grand risque de se faire *flamer* (voir ce mot).

favori Terme utilisé par Microsoft pour désigner un signet (voir ce mot).

fichier Collection d'informations considérée comme une unité de traitement par un ordinateur.

firewall Littéralement : *mur de feu*. Voir **garde-barrière**.

flamer Poster des messages coléreux, enflammés ou insultants. A éviter !

folder *Dossier, classeur*. C'est sous ce nom qu'on désigne les répertoires d'un Macintosh.

forum Dans le sens le plus général : groupe de news.

fournisseur d'accès Entreprise commerciale disposant d'une connexion directe à l'Internet, et par l'intermédiaire de laquelle vous devez passer pour vous raccorder vous-même au Net lorsque vous utilisez une ligne téléphonique.

fournisseur de contenu Fournisseur d'accès proposant, en plus de l'accès à l'Internet, des services et des informations qui ne sont accessibles qu'à ses seuls abonnés (AOL, par exemple).

freeware On dit parfois en français : "graticiel". Logiciel disponible gratuitement sur le Net et ailleurs.

FTP (File Transfer Protocol) Protocole de transfert de fichiers très largement utilisé entre sites raccordés à l'Internet.

FTP (serveur) Ordinateur raccordé à l'Internet et conservant un grand nombre de fichiers mis à la disposition d'autres utilisateurs (les *clients*) par FTP.

garde-barrière Ordinateur filtrant les communications entrantes et sortantes entre l'Internet et un site particulier, et pouvant bloquer celles qui correspondent à certaines adresses. Elément important de la sécurité d'un site.

gateway Voir **passerelle**.

GIF (Graphics Interchange Format) Format d'image défini par CompuServe et maintenant très largement utilisé sur le Net. Les fichiers de ce format sont dotés de l'extension .gif et sont appelés des fichiers GIF.

gigaoctet Unité de mesure de la taille d'un fichier ou de la capacité d'un disque dur. Représente exactement 1 x 10^9 octets, soit 1 000 **mégaoctets** (voir ce mot).

gov Suffixe d'une adresse électronique propre aux Etats-Unis et réservée aux organismes gouvernementaux. Exemple : www.whitehouse.gov.

hardware Littéralement : *quincaillerie*. Désigne tout ce qui fait partie du matériel, dans un système informatique. Opposé à **software** *(logiciel)*. Le jeu de mots initial opposait *hard* (dur) à *soft* (doux).

hôte Désigne un ordinateur sur lequel on peut se connecter. N'a pas ici le double sens du mot propre à notre langue.

HTML (HyperText Markup Language) Langage dérivé de SGML et utilisé pour coder les pages Web. C'est un langage à balises.

HTTP (HyperText Transfer Protocol) Protocole de transfert des pages Web.

HTTPS Variante de HTTP utilisant le chiffrement pour sécuriser un transfert d'informations sur le Web.

hypermédia L'ensemble des types de médias associés à l'hypertexte (images, sons, animations).

hypertexte Système de représentation et de diffusion d'informations par lequel on peut faire apparaître sous forme unitaire des documents éparpillés sur différents sites d'un même réseau.

icône Petite image représentant un programme ou un fichier dans un système graphique comme Windows ou le Macintosh.

ICQ Prononcé "aï si kiou" pour "I seek you" : je te cherche. Système de messagerie instantanée qui permet aux utilisateurs de s'échanger des messages en direct live sur le Net. Bien qu'il appartienne à AOL, il n'est pas compatible avec le système Instant Messages de ce dernier.

INRIA Institut national pour la recherche en informatique et en automatique.

Internet Interconnexion de réseaux d'ordinateurs dans le monde entier. Lorsque vous connectez votre micro à un FAI, votre ordinateur fait partie intégrante de ce réseau planétaire.

Internet Explorer Navigateur édité par Microsoft.

Internet Phone Programme permettant de téléphoner par l'Internet en utilisant un micro et un haut-parleur.

intranet Version de l'Internet utilisée sur des réseaux locaux.

IP (Internet Protocol) Protocole utilisé sur l'Internet pour acheminer les informations sur le réseau.

IRC (Internet Relay Chat) Système permettant de converser en temps réel sur le Net.

Java Langage de programmation inventé par Sun Microsystems et totalement portable sur toutes les plates-formes car semi-compilé.

JavaScript Langage d'écriture de scripts, cousin éloigné de Java, aux ambitions plus modestes que ce dernier, mais nettement plus sécurisé.

JPEG Format d'image très utilisé sur le Web pour numériser des photos.

kilo-octet Unité de mesure de la taille d'un fichier ou de la capacité d'un disque dur. Représente 1×10^3 octets, soit 1 000 octets (ou plus exactement 1 024 octets).

liaison Voir **lien**.

lien Plusieurs sens. En ce qui concerne les réseaux, synonyme de connexion. Pour le Web, lien logique entre plusieurs documents non nécessairement situés au même endroit.

Linux UNIX gratuit tournant principalement sur des ordinateurs personnels.

liste (de diffusion) Voir **mailing list**.

liste (serveur de) Programme qui gère des listes de diffusion.

LISTSERV Famille de programmes qui gère automatiquement les listes de diffusion. Les noms de ces listes se terminent générale-ment par "-L".

Lynx Navigateur fonctionnant en mode texte. Pas d'image, mais il est rapide.

MacBinary Système de codage de fichiers très répandu parmi les utilisateurs de Macintosh.

MacTCP TCP/IP pour le Macintosh. Son seul intérêt est de vous permettre de raccorder un Macintosh à l'Internet. Fourni en standard à partir du System 8.

mail Courrier.

mail server Ordinateur connecté à l'Internet et qui est chargé d'assurer le service du courrier au moyen du protocole SMTP, vous permettant ainsi de vous connecter de façon intermittente, au moyen d'un micro-ordinateur.

mailer Logiciel de courrier ou, plus spécifiquement, de lecture, de composition et d'envoi de courrier électronique.

mailing list Liste de diffusion. Envoi automatique de messages à une série de destinataires dont les adresses électroniques sont énumérées dans une liste.

Majordomo Programme analogue à LISTSERV et destiné à gérer les listes de diffusion.

mégaoctet Unité de mesure de la taille d'un fichier ou de la capacité d'un disque dur. Représente exactement 1×10^6 octets, soit 1 000 kilo-octets (1 000 000).

Microsoft Network (MSN) Un service en ligne commercial fournissant de nombreux services Internet, dont le courrier électronique et un accès au World Wide Web.

mil Suffixe d'une adresse électronique propre aux Etats-Unis et réservée aux établissements militaires. Exemple : `wsmr-simtel20@army.mil`.

MIME (Multipurpose Internet Mail Extension) Procédé permettant d'acheminer des fichiers binaires au moyen d'un codage approprié.

miroir Serveur FTP ou Web sur lequel on trouve les mêmes fichiers que sur un autre site, considéré comme leur distributeur principal.

modem *Modulateur-démodulateur.* Dispositif électronique chargé de convertir des signaux électriques entre un ordinateur et une ligne téléphonique ou le câble.

modérateur Personne responsable de la diffusion d'un groupe de news ou d'une liste de diffusion et qui est censée les lire avant de les rendre publiques. Elle peut ainsi exercer une censure dont le principal bénéfice est de limiter l'encombrement des réseaux par des messages stupides, redondants ou grossiers (ou les trois à la fois).

mot de passe Suite de caractères tenue secrète par un utilisateur et au moyen de laquelle il s'identifie lorsqu'il se connecte sur un ordinateur particulier.

MPEG Système de compression de fichiers de sons et d'images élaboré par le Motion Picture Group. Les fichiers ont l'extension .mpg.

Net Raccourci familier désignant l'Internet.

Netscape Navigator Navigateur faisant partie de la suite de programmes Netscape Communicator et ayant largement contribué à la popularité du Web. Les gens de Netscape ont introduit des suppléments au langage HTML afin d'améliorer la qualité des présentations.

network Réseau.

news (groupe de) Regroupement de sujets ayant trait à un même thème. Les groupes de news sont articulés selon une arborescence. On les appelle aussi *forums*.

news (lecteur de) Programme permettant non seulement de lire les news, mais aussi d'y répondre et de composer de nouveaux articles. Netscape Navigator possède une fonction de lecteur de news. Microsoft propose Outlook Express pour cette fonction.

news (serveur de) Ordinateur raccordé à l'Internet et dont la mission consiste à distribuer les news.

nickname (surnom) Terme utilisé sur le réseau **IRC** (voir ce mot) pour s'identifier au cours d'une conversation.

nœud Ordinateur relié à l'Internet, aussi appelé *host*.

nom (serveur de) Voir **DNS**.

Numéris Réseau de transmission de données numérisées. Voir **RNIS**.

page Document disponible sur le Web pouvant contenir du texte, des fichiers graphiques, du son, des animations, etc.

paquet Ensemble d'informations envoyées sur un réseau. Chaque paquet contient l'adresse de son destinataire.

passerelle Ordinateur permettant l'interconnexion de deux réseaux de façon qu'ils semblent n'en faire qu'un seul.

pays (code) Suffixe de deux lettres d'une adresse Internet indiquant le pays d'origine de l'ordinateur hôte (fr représente la France, ch, la Suisse, uk, le Royaume-Uni, etc.).

PDF (fichier) Système de formatage de documents créé par Adobe. Le logiciel de lecture est distribué gratuitement par cet éditeur à l'URL www.adobe.com/acrobat.

PGP (Pretty Good Privacy) Programme de chiffrement de messages créé par Phil Zimmerman et dont l'usage est rigoureusement interdit en France. Visitez le site Web `web.mit.edu/network/pgp.html`.

ping Programme de test de liaison mesurant le temps de transit d'un message entre deux machines.

plug-in (assistant) Module de programme qu'on incorpore à un navigateur pour lui permettre de décoder et d'interpréter des fichiers qu'il est incapable de traiter de façon native.

POP (Post Office Protocol) Système par lequel un serveur de courrier de l'Internet vous permet de recueillir votre courrier et de le télécharger sur votre micro-ordinateur.

port (numéro de) Sur un ordinateur connecté à un réseau, c'est un nombre qui identifie chacun des programmes gérant une ressource particulière de l'Internet. En général, vous pouvez parfaitement ignorer ces subtilités.

poster Envoyer un article sur les news ou listes de discussion.

posting Action d'envoyer un article sur les news ou listes de discussion.

PPP (Point to Point Protocol) Système de connexion de deux ordinateurs par ligne téléphonique.

protocole Ensemble de conventions grâce auxquelles deux ordinateurs peuvent communiquer entre eux.

QuickTime Format de fichiers vidéo créé par Apple et dont il existe des versions pour Windows et d'autres systèmes.

RealAudio Format de codification de fichier audio permettant une transmission et une audition simultanées. Ne fonctionne correctement qu'avec des connexions réseau à haut débit. Avec une connexion RTC, de nombreuses coupures interviennent en cours d'audition ou bien le bruit de fond est très important. Voir par curiosité `www.real.com`.

recherche (moteur de) Système utilisé pour consulter des bases de connaissances. Exemples : AltaVista, Yahoo!, Voila...

répertoire Partie d'une structure arborescente gouvernant l'organisation des fichiers d'un ordinateur.

RNIS (réseau numérique à intégration de services). Réseau créé par France Télécom pour assurer de forts débits.

routeur Ordinateur destiné à assurer l'interconnexion de plusieurs réseaux utilisant éventuellement des standards différents.

RTC Réseau téléphonique commuté.

sécurité Sur un réseau, la sécurité consiste essentiellement à interdire l'entrée dans une machine à ceux qui n'y sont pas autorisés par l'administrateur du système.

série (entrée) Connecteur permettant de raccorder un modem à un micro-ordinateur.

serveur Ordinateur destiné à fournir un service à d'autres ordinateurs d'un réseau. Un serveur se connecte à un **client** (voir ce mot).

shareware On dit parfois en français : "partagiciel". Logiciel que l'on peut essayer avant de l'adopter. Lorsqu'on s'y décide, on est moralement obligé de verser une contribution à l'auteur.

Shockwave Standard multimédia interactif utilisé sur le Web. Voir le serveur www.shockwave.com/.

signet Adresse d'une page Web qui est mémorisée par le navigateur, facilitant ainsi une exploration ultérieure du même site Web. Microsoft a choisi le mot *favori* pour désigner un signet.

smiley Petite figure "dessinée" au moyen de divers caractères tels que :-) ou :-(qu'il faut regarder en penchant la tête vers la gauche. La mimique ainsi esquissée est très utilisée dans le courrier électronique pour ajouter de l'expression à un message. Parfois traduit en français par *souriard*.

SMTP (Simple Mail Transfer Protocol) Méthode servant à assurer le service du courrier électronique à des ordinateurs non reliés en permanence à l'Internet.

snail mail Littéralement : *courrier escargot*. Façon ironique de désigner le courrier postal par opposition au courrier électronique.

socket Port logique utilisé par un programme pour communiquer avec un autre programme tournant sur un autre ordinateur de l'Internet.

software Logiciel. Tout ce qui, dans un ordinateur, ne relève pas du matériel.

souriard Voir **smiley**.

spam Courrier non sollicité, donc généralement inutile. Tout à fait comparable au flot de prospectus qui encombrent régulièrement votre boîte aux lettres postale.

SSL (Secure Socket Layer) Technique utilisée sur le Web pour sécuriser certaines connexions.

streaming (audio) Système permettant d'acheminer des fichiers audio sur le Net de telle façon qu'on commence à les entendre presque immédiatement, sans attendre que l'intégralité du fichier soit transmise. Le plus populaire est RealAudio.

StuffIt Programme de compression employé sur les Macintosh.

surfer Se promener nonchalamment et sans but précis sur le Web.

TCP/IP (Transmission Control/Internet Protocol) Protocole de connexion utilisé sur le Net.

Telnet Programme permettant d'ouvrir une session de communication ("se logger") à distance sur un autre ordinateur connecté à l'Internet.

terminal Ensemble écran-clavier connecté à un ordinateur. De nos jours, on utilise plutôt un micro-ordinateur sur lequel tourne un émulateur.

texte (fichier) Fichier ne contenant que du texte pur, sans formatage.

thread Littéralement : *enfilade*. Suite des réponses à un message des news ; autrement dit, succession des messages relatifs à un sujet particulier.

Unicode Extension du code ASCII à 16 bits pour permettre la représentation de n'importe quel caractère utilisé dans les langues mondiales.

UNIX Système d'exploitation soulevant les passions à défaut des montagnes. On peut, en toute objectivité, lui reprocher de recourir au langage de commande le plus abscons qui puisse être imaginé. Difficile, voire impossible à utiliser par des profanes.

uploading Mot n'ayant pas d'équivalent en français et qui signifie téléchargement *vers* un serveur.

URL (Uniform Resource Locator) Façon de désigner une ressource de l'Internet au moyen d'une adresse électronique précédée d'un préfixe dépendant du type de la ressource concernée. Les navigateurs en font un large usage.

URN (Uniform Resource Name) Nom d'une page Web qui ne change pas lorsque cette page est déplacée sur un ordinateur différent. Proposé pour résoudre le problème des liens rompus mais très peu utilisé.

Usenet Ensemble de forums articulés par types. Sorte de place publique électronique où chacun peut venir poser des questions, lancer des apostrophes, apporter des réponses que tous peuvent entendre. Voir le site `net.gurus.com/usenet`.

UUCP (UNIX to UNIX copy) Système de courrier électronique encore utilisé par certains systèmes UNIX. Les adresses se présentent de façon différente de celles que nous connaissons sur le Net.

uuencode/uudecode Programmes de codage et de décodage de fichiers permettant à ceux-ci de transiter par courrier électronique. Les fichiers binaires ainsi "uuencodés" se présentent sous forme d'une suite de caractères inintelligible. Plus ancien et plus rustique que MIME.

visualisation (logiciel de) Programme destiné à afficher des images numérisées.

VRML Langage destiné à construire des pages en réalité virtuelle sur le Web. Actuellement en perte de vitesse.

WAV (fichier) Format requis sous Windows pour les fichiers audio.

Web Littéralement "araignée". En réalité, il s'agit du World Wide Web qui est un système d'informations hypertexte et hypermédia.

Winsock Abrégé de *Windows Sockets*. Interface standard avec TCP/IP des programmes tournant sous Windows.

WinZip Programme de compression/décompression de fichiers tournant sous Windows.

World Wide Web Voir **Web**.

X.400 Standard proposé par l'ITU-T pour la messagerie. Très compliqué.

X.500 Standard proposé par l'ITU-T pour les annuaires électroniques.

Yahoo! Serveur de recherche sur le Web accessible par l'URL www.yahoo.com ou, pour l'antenne francophone, à l'URL www.yahoo.fr.

ZIP (fichier) Ensemble de fichiers compressés à l'aide du programme WINZIP (peut ne contenir qu'un seul fichier). Le décompactage s'effectue avec WINZIP.

Index